CEDA

Conception maquette et crayonnés : Aline Riquier
Réalisation maquette : Spiral
Lecture-correction : Bernard Dauphin, Annick Valade
Secrétariat d'édition : Françoise Moulard

ISBN 2-03-651408-9

Photocomposition NORD COMPO

IMPRIMERIE JOMBART — 27000 ÉVREUX — Dépôt légal avril 1988.
N° de série éditeur : 14355 — IMPRIMÉ EN FRANCE *(Printed in France)* — 651408 avril 1988.

GLOBE-TROTTER
Collection dirigée par Laurence Ottenheimer-Maquet

LES ANIMAUX ONT UNE HISTOIRE...

LE CHEVAL

Texte de Florence Théard
Illustrations de Paul Bontemps
et de Neil Wilson

17, rue du Montparnasse 75006 Paris

Les derniers mustangs sauvages

Lentement, les premiers rayons du soleil embrasent les collines arides du Nevada. Les mustangs, qui jusque-là étaient restés immobiles, amorcent le rituel quotidien. La jument-chef s'élance vers la vallée, suivie par les autres qui galopent à fond de train derrière elle.

En arrière, l'étalon, qui attendait ce signal, ferme

la chevauchée matinale, contrôlant tous les mouvements de sa horde. Baissant la tête, étirant son encolure, il ordonne aux juments qui s'écartent de rentrer dans le rang. Dans la vallée maintenant inondée de lumière, les chevaux s'approchent du point d'eau à tour de rôle, tandis que l'étalon renifle l'air, toujours sur le qui-vive. Puis, se roulant dans la poussière et la boue, les mustangs se toilettent, se grattant le ventre avec leurs dents ou leurs sabots. Deux juments se débarrassent mutuellement de leurs poils emmêlés sur le cou et les flancs.

Le cheval de Prjevalski est l'ancêtre des races équines primitives. En 1900, une expédition en Mongolie permit d'en capturer une cinquantaine, qui se sont depuis reproduits dans les zoos.

Enfin, la horde se remet tranquillement à brouter amarantes et armoises. De temps en temps, un poulain vient têter sa mère. Il est né une nuit de printemps. En moins d'une heure, il s'est dressé, chancelant sur ses pattes grêles. Le lendemain, il gambadait déjà autour de sa mère. Sa force et son énergie augmentent à vue d'œil. Il peut maintenant galoper avec le troupeau si celui-ci doit fuir. Bientôt, ce jeune mâle exubérant deviendra pour l'étalon-chef, une source d'agacement, un rival. Aussi, dès l'âge de trois ans, il sera chassé du troupeau familial. Il rejoindra alors une horde de jeunes étalons. Avec eux, il pourra donner libre cours à sa vitalité, cherchant à s'imposer par des combats simulés. Un jour alors, il ira braver l'autorité de l'étalon-chef d'une horde rivale. L'encolure arquée, la crinière au vent, martelant le sol, les combattants engageront une lutte sous l'œil attentif des juments. Jambes brisées, oreilles arrachées, l'étalon vaincu laissera le jeune et farouche mustang s'enfoncer dans le désert

Le poulain est sevré vers 6 mois.

avec son nouveau harem. À son tour, il deviendra chef de famille. Aujourd'hui, les mustangs sauvages livrent leur dernier combat ; prudents, méfiants, ils se tiennent éloignés des hommes qui, plusieurs fois par an, cherchent à les débusquer pour les diriger, par hélicoptère, vers des pièges. À cheval et au lasso, les cow-boys rattrapent les mustangs terrifiés qui cherchent à échapper aux barrières du corral pour garder leur liberté.

De véritables combats s'engagent parfois lorsqu'un jeune étalon tente de s'approprier les juments qui appartiennent à l'étalon-chef.

Capture et dressage de chevaux mongols.

Le cheval de guerre

C'est à partir des steppes de l'Asie centrale que les premiers chevaux se sont répandus par vagues successives à travers le monde. D'abord chassé comme gibier, le cheval, domestiqué, devint rapidement une "arme de guerre". Les hommes l'utilisèrent dans toutes leurs guerres, attelé ou monté, écrasé sous de lourdes armures ou à peine harnaché. Les champs de bataille de toutes les époques vont résonner du bruit de ses sabots et de ses hennissements.

L'art rupestre révèle l'importance du cheval durant la préhistoire.

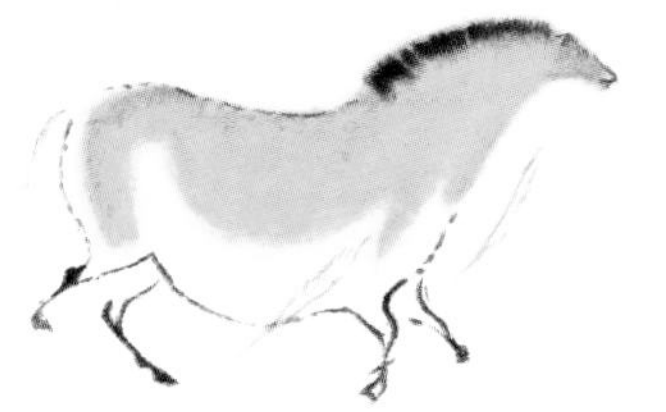

Peuples cavaliers

À l'âge de la pierre taillée, l'hom me de Neandertal vivait déjà e compagnie d'un petit cheva épais, barbu. Ne possédant pa d'armes assez puissantes pou tuer les chevaux, il rabattait le troupeaux vers des falaises d'o les animaux se précipitaient. À l'âge du bronze, le cheval es domestiqué : plus de 3000 an après le chien. Capturé a lasso, il est parqué dans de réserves jusqu'à l'abattage. O trouve trace des premiers char en Chine, vers 3500 av. J.-C Avant d'être monté, on suppos que le cheval fut d'abord attelé

Dès le IIe siècle av. J.-C., les Chinois utilisaient une selle.

Un archer assyrien. Les rênes restent sur l'encolure pour permettre l'emploi des armes.

Cavalier barbare

e cheval est maintenant partout résent sur le globe. En 1300 v. J.-C., les Égyptiens affron- èrent sur des chars la première avalerie montée : la cavalerie ittite, qui comptait même les femmes : les Amazones. n Perse, la cavalerie parthe nontait à cru, sans bride ni selle. yrus (556-530 av. J.-C.), le oi, se rendit maître de toute 'Asie occidentale. Les Romains nontaient sans étriers : leur nvention, 2000 ans auparavant, tait retombée dans l'oubli. es Grecs écrivirent le premier raité d'équitation. Et, tandis que les Romains étendaient eur domination en dehors de 'Italie, des cavaliers venus l'Asie orientale défer- aient sur la Chine. En Europe, on tremblait devant les hordes d'At- ila, qui, dit-on, ne descendaient jamais de eur monture pendant eur conquête.

Cavaliers grecs.

Cavalier étrusque.

Cheval attelé égyptien.

Les invasions de l'Islam

On ne sait pas exactement quel peuple utilisa en premier l'étrier. Cette invention fut pourtant capitale car elle modifia complètement la manière de monter à cheval, de combattre. Les pieds calés dans les deux anneaux, le cavalier pouvait désormais se soulever et s'élancer sur l'adversaire pour le frapper avec son épée, sans perdre l'équilibre. Le cavalier romain, lui, sans étriers, ne pouvait se servir de sa lance que comme projectile. L'utilisation des étriers permit aussi au cavalier de porte une armure plus lourde. Un cotte de mailles le protégeai presque en entier. Ainsi équipés les Arabes, montés sur des chevaux rapides et robustes, purent au début du VIIe siècle, entreprendre une conquête audacieuse. Le prophète Mahome (vers 570-632) et les califes qui menèrent les invasion

oussèrent les frontières de leur mpire jusqu'à l'Espagne et la rance à l'ouest. 6 000 km plus l'est, ils franchirent l'Indus, 'emparant de la Perse, de l'Inde t des confins de la Chine de 'Ouest, tandis que, plus au ord, Byzance, la Turquie, et le urkestan passèrent sous la omination de leur empire.

En Orient, les conquêtes arabes urent arrêtées en 717 devant onstantinople, et en Occident, n 732, devant Poitiers.

Là, devant la ville, le gouverneur arabe de l'Espagne trouva la mort après avoir ravagé l'Aquitaine.

Sabre et casque islamiques du XVIIe siècle, finement ciselés.

C'est l'armée franque de Charles Martel qui remporta la victoire, brisant l'offensive musulmane qui menaçait tout le pays. Ce succès, il le dut à sa cavalerie massive et solide. À cette époque, en France, les seigneurs s'intéressèrent enfin au cheval, organisant l'élevage de races locales et étrangères. En Espagne, les musulmans ne furent chassés qu'en 1236 après la victoire de Ferdinand III à Cordoue.

La religion musulmane interdit de représenter des êtres vivants. Ce sont des documents européens qui permirent de découvrir le cheval arabe : le cheval le plus célèbre du monde.

Les chevaliers du Moyen Âge

Protéger les paysans constitue, à partir de l'an 1000, le rôle d'un petit groupe d'hommes spécialisés dans l'art de la guerre : les chevaliers. Dans les batailles, les fantassins ne jouent plus un grand rôle. L'armée n'est bientôt plus formée que de combattants à cheval. Calé sur une selle à étriers, revêtu d'une cotte de mailles métalliques, le haubert, coiffé du heaume et muni du bouclier qui porte ses couleurs, le combattant monte un destrier suffisamment robuste pour supporter une charge de plus de 150 kg, car ce cheval était, comme son maître, protégé par une lourde armure : le caparaçon. Robuste, il devait l'être, car il lui fallait, ainsi caparaçonné, galoper lors de la charge. Aussi le chevalier ménageait-il sa monture, qu'il laissait mener par son page jusqu'au lieu de bataille. Là, il l'enfourchait et criait : "En avant !" Souvent, au cours de la

L'armement du chevalier.

:harge, les montures s'entrechoquaient avec une telle violence qu'il n'était pas rare de voir le :avalier et son cheval voler en :clats. Pourtant, malgré de nombreux insuccès, la charge resta encore longtemps a règle de combat.

Homme d'armes t sa monture la fin du XVe iècle. Le cheval st un destrier. Ce mot vient du latin lextera qui signifie a "main droite" par laquelle l'écuyer onduisait le cheval.

Au XIIe siècle, on était chevalier de père en fils. Vers 7 ans, le fils d'un seigneur quittait le château, et rentrait comme écuyer au service d'un autre seigneur. Il portait les armes du chevalier quand celui-ci ne combattait pas et recevait une éducation guerrière. Vers 20 ans, lors de l'adoubement, le parrain remettait les armes au jeune chevalier. Celui-ci recevait une épée bénite. Il prêtait alors serment sur les Évangiles, s'engageant à être loyal, vaillant et dévoué envers Dieu, les faibles, les désarmés. Mais les chevaliers étaient parfois un peu pillards. Au XIIIe siècle, les nobles dames, dont l'influence devint plus importante, et l'Église cherchèrent, en lançant les croisades, à assagir leur brutalité.

Tournoi à champ ouvert.

Tournoi à champ clos au XVe siècle.

La fin de la chevalerie

En temps de paix, les chevaliers pratiquaient des jeux qui étaient des simulacres de combat. Au cours des joutes, les chevaliers s'opposaient à coups de lance, d'épée et de masse.

Chevalier de l'ordre des Templiers.

Le cheval était équipé d'un chanfrein aveugle afin qu'il ne fasse pas d'écart au moment du choc. Les joutes étaient soit à champ ouvert : des centaines de chevaliers s'affrontaient sur un terrain, soit à champ clos : le tournoi opposait, de part et d'autre d'une haie, 2 chevaliers chevauchant en sens inverse, chacun s'efforçant de désarçonner l'autre à l'aide d'une lance à long manche qui tuait parfois. Il arrivait que les cavaliers soient asphyxiés par la poussière ou piétinés par leur monture. Finalement, ces jeux devinrent de grands spectacles qui ruinèrent de nombreux chevaliers. Certains durent faire de cet art une profession pour gagner leur vie.

À la grande époque de la chevalerie, les hommes rêvèrent d'allier la foi et la guerre. Ils créèrent des ordres à la fois religieux et militaires qui naquirent en Terre sainte pendant les croisades. Au XIe siècle fut fondé l'ordre hospitalier de Saint-Jean de Jérusalem ou ordre de Malte.

Des moines-soldats se chargeaient d'assurer la protection des hôtelleries contre les attaques musulmanes.

Au XVe siècle, la chevalerie commença à décliner. En 1415, les chevaliers français furent massacrés à Azincourt par les archers anglais. Désormais la cavalerie va s'alléger.

Les samouraïs

Les samouraïs furent, au Japon, l'équivalent de nos chevaliers. Leur histoire remonte à l'an 1000. À cette époque, l'empereur avait perdu son pouvoir et le pays était divisé. Pour défendre leurs terres ou pour en conquérir de nouvelles, les seigneurs étaient en conflits perpétuels. Chacun organisait son armée de guerriers : les samouraïs. Leurs chefs, les shoguns, étaient les maîtres du pays.

Au fil des siècles, les samouraïs formèrent une classe guerrière qui suivait un code de l'honneur strict, apprenant à ne pas craindre la mort et s'entraînant quotidiennement. Les combats étaient menés noblement. Les chefs de camps opposés se présentaient l'un à l'autre et engageaient un duel qui marquait le point de départ de l'affrontement général. Mais l'arrivée des Mongols, adversaires inconnus ne respectant pas les mêmes règles, obligea les samouraïs à modifier leurs méthodes de combat.

Les derniers samouraïs disparurent il y a une centaine d'années. Ils pratiquaient les arts martiaux : judo, karaté, aïkido, kendo, kyudo.

Après leur cuisante défaite contre l'infanterie mongole, les samouraïs, qui se déplaçaient toujours à cheval, durent s'équiper pour combattre à pied. Les armures s'allégèrent et les seigneurs adoptèrent même l'arme de la piétaille : le naginata. Puis, avec l'apparition des armes à feu, le tachi perdit son efficacité. Casques et masques qui servaient à protéger le visage devinrent des ornements de parade. À partir de 1639, le Japon se replia sur lui-même. Pendant 230 ans, plus aucun étranger n'y fut toléré. L'empereur retrouva son autorité et interdit le port du sabre. Les guerres cessèrent et les samouraïs disparurent au fil des années.

Les armes du samouraï cavalier : le tachi (1), un sabre long, le yari (2), le naginata (3), une arme de jet (4). Le demi-masque (5) caricature les Portugais, dont la longueur du nez avait frappé les Japonais lors de leurs premiers contacts au milieu du XVIe siècle. Le casque (6) : une bombe en fer recouverte de cuir laqué noir symbolisait parfois un animal.

Le cheval en Amérique

Les chevaux voyageaient au fond des cales obscures des navires, suspendus par des sangles sous-ventrières, pour des traversées de 120 jours environ.

La découverte de l'île d'Haïti, en 1492, par Christophe Colomb, marque le point de départ de la conquête du Nouveau Monde par les Espagnols. Il fit embarquer 34 chevaux ; 20 juments et étalons seulement survécurent à la traversée.

Plus tard, en 1521, les Espagnols, conduits par le conquistador Hernán Cortés, se rendirent rapidement maîtres de la capitale aztèque au Mexique. En 1531, la petite troupe de Francisco Pizzaro débarqua avec 27 chevaux pour conquérir l'immense Empire inca, au Pérou. En quelques années, les Indiens furent soumis. Il y eut bien quelques révoltes ; pour chasser l'envahisseur, ceux-ci tendaient des embuscades : des piquants empoisonnés perçant sandales et jambières ;

pour se protéger, les Espagnols adoptèrent, pour eux et leurs chevaux, les vêtements rembourrés de coton que façonnaient les Indiens : cavalier et monture devenaient une tour imprenable, sauf à l'endroit de la visière. La rapidité de la conquête s'explique en partie par le fait que les Espagnols possédaient des arquebuses qui semèrent la panique.

Mais "l'arme de la peur" était surtout le cheval, que les Indiens ne connaissaient pas. Cortés profita ainsi de la terreur qu'inspirait cet animal auprès des Indiens. Il leur fit croire que le mors passé dans la bouche servait à l'empêcher de manger les vivants ! Ainsi, avec la "Conquista", le cheval pénétra en Amérique. Élevé sur place en semi-liberté dans les Grandes Plaines, il se reproduisit, et, en quelques années, de gigantesques troupeaux de mustangs se créèrent. Plus tard, les Espagnols introduisirent aussi des étalons et des juments d'origines arabe, barbe et turque.

Les chevaux espagnols étaient accompagnés de chiens féroces, entraînés à tuer et à dévorer les adversaires.

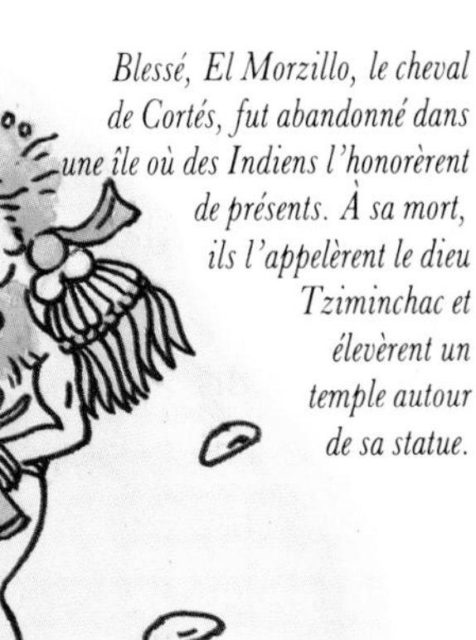

Blessé, El Morzillo, le cheval de Cortés, fut abandonné dans une île où des Indiens l'honorèrent de présents. À sa mort, ils l'appelèrent le dieu Tziminchac et élevèrent un temple autour de sa statue.

Cavaliers indiens

Avant le XVIIe siècle, la majorité des Indiens d'Amérique du Nord étaient des sédentaires. Les vrais nomades étaient essentiellement les tribus des Plaines : Comanches, Apaches, Sioux, Cheyennes... Pour transporter le matériel de leurs tipis, ils utilisaient des travois traînés par un chien. Eux-mêmes allaient à pied. Pour chasser le bison, ils s'approchaient des troupeaux en se dissimulant sous des peaux de loups. Lorsque les Indiens firent connaissance avec le cheval, entre 1650 et 1800, ils furent d'abord effrayés. Ils le nommèrent "Grand chien", car, comme leurs chiens, les chevaux transportaient les affaires des hommes blancs.

Puis, peu à peu, tribu par tribu, les Indiens possédèrent des chevaux par le troc ou par le vol. Leur vie, dès lors, changea complètement. Pour les tribus nomades, le cheval était vraiment une bénédiction du ciel. Avec lui, ils purent se déplacer plus vite et plus loin, emportant des charges plus lourdes. Sur son dos, ils harnachaient jusqu'à 100 kg et, dans le travois, jusqu'à 150 kg. Le cheval pouvait accomplir le double du trajet que faisait le chien dans une journée. La chasse fut elle aussi transformée.

Désormais, un seul chasseur pouvait abattre 3 ou 4 bisons à bout portant car les chevaux dépassaient aisément à la course le plus rapide bison. En une journée, le chasseur récoltait suffisamment de viande pour nourrir sa famille pendant des semaines. Aussi avait-il plus de temps libre pour se consacrer aux fêtes, aux cérémonies, et aussi aux guerres contre les camps ennemis... pour voler les chevaux.

Les principales races de chevaux qu'utilisaient les Indiens étaient des descendants des chevaux des conquistadors.

Avant le combat, les chevaux recevaient des peintures magiques, pour les rendre plus forts, moins vulnérables. La tactique indienne était la charge, l'attaque surprise, le corps-à-corps. Les pertes étaient parfois lourdes. Cependant, l'arrivée des Blancs sur leurs terres entraîna des guerres plus meurtrières encore. À partir de 1830, les tribus indiennes furent progressivement déportées vers l'ouest, où on les parqua dans des réserves. Leur vie, aujourd'hui, n'a plus beaucoup de points communs avec celle qu'elles menaient au temps de la conquête de l'Ouest.

La fin de la cavalerie

Avec le temps, la guerre se transforma. Sur les champs de bataille, l'infanterie devint maîtresse, avec des armes à feu plus perfectionnées. Au XVIIe siècle, on tenta de redonner de l'importance à la cavalerie. Le tir à cheval, au trot : le "caracol", remplaça la charge. Au XVIIIe siècle, on faisait la guerre en dentelles et perruques poudrées. Les mousquetaires du roi de France portaient des costumes éclatants.

Cuirassier, (1809).

Puis, pour utiliser plus efficacement le cheval, on créa des régiments spécialisés. En Europe, on distinguait : les cuirassiers, qui portaient une cuirasse ne protégeant que le thorax et le dos (ils combattirent, en France, jusqu'en 1880) ; les hussards, armés d'une carabine, de 2 pistolets et d'un sabre turc, qui montaient sur des petits chevaux ; les dragons, qui combattaient à pied et se déplaçaient à cheval.

Cavalier du 5e régiment de dragons (1803-1805).

1. Hussard (1767), 2. Chevau-léger de la garde impériale (1808).

Dans les batailles, l'offensive, la charge, redevint la tactique de la cavalerie qui, au siècle de Napoléon, formait l'élite des armées. Le 18 juin 1815, au sud de Bruxelles, à Waterloo, s'est déroulé l'un des plus sanglants combats équestres : les "Dragons du Nord" — un célèbre régiment d'Angleterre — enlevèrent les mors de leurs chevaux pour se ruer sur les lignes françaises sans possibilité de faire demi-tour ni de ralentir. Le soir, 50 000 chevaux et 20 000 hommes jonchaient le champ de bataille. À la chute de l'Empire, le nombre de régiments de cavalerie diminua. En 1914, les combats se déroulèrent dans les tranchées et la cavalerie ne joua plus un grand rôle. En 1939, les régiments de lanciers polonais chargèrent les chars allemands. C'était la dernière grande charge. Un sacrifice héroïque mais inutile.

Mamelouk de la garde impériale (1808). Ce régiment créé par Napoléon Ier lors de la campagne d'Égypte, s'est couvert de gloire à Austerlitz.

Hussard (1791). Le terme de hussard désigne au XVe siècle, en Hongrie, les cavaliers recrutés dans les villages pour défendre le pays contre les Turcs. La France et la Russie recrutèrent ces cavaliers. En France, les hussards, transformés en régiments blindés depuis 1945, ont conservé sur leur calot une broderie appelée "hongroise".

Hussard en tenue de paquetage (1939).

La police à cheval

La cavalerie fut longtemps le corps d'élite des armées, mais, aujourd'hui, les engins motorisés ont remplacé le cheval. Cependant les régiments montés sont toujours là. En France, celui de la Garde républicaine appartient depuis 1849 à la gendarmerie nationale. Les cavaliers assurent les gardes d'honneur, l'escorte du président de la République ou celle des chefs d'État étrangers en visite, des missions de sécurité ou la surveillance des forêts domaniales. À la caserne, les gardes se lèvent à 5 heures car, en plus des exercices équestres ou des patrouilles, les soins à donner aux chevaux occupent une grande partie du temps. Les 530 chevaux de la garde sont répartis par robe dans les différentes unités ; en tête des défilés viennent les chevaux alezans des trompettes de la fanfare et les gris des timbaliers.

Costumés en gendarmes de Louis XV, les sous-officiers du régiment de cavalerie de la Garde républicaine rendent hommage à leurs ancêtres en exécutant la "reprise de la maison du roi" : des exercices de dressage sur des airs anciens.

Au Canada, les cavaliers de la gendarmerie royale sont aussi appelés les "tuniques rouges" à cause de leur tenue de cérémonie.

Dans les ateliers de la maréchalerie, les 530 chevaux sont ferrés tous les 30 à 45 jours. Des maîtres armuriers et des maîtres selliers fabriquent et entretiennent le matériel des gardes.

D'autres pays ont conservé des régiments à cheval. Dans Londres, on rencontre beaucoup de policiers à cheval. Jusqu'à l'année 1986, la reine Élisabeth passait en revue sa garde royale. Les life-guards ont une tunique rouge et un casque à crinière blanche, tandis que les horse-guards ont une tunique bleue et des plumes rouges. Au Canada, la police montée a été créée en 1873 pour maintenir l'ordre dans les vastes régions du Nord et de l'Ouest. Aujourd'hui, elle sert encore de gendarmerie municipale. Quant aux corrazieri — les cuirassiers italiens —, ils sont 250 géants (de 2 m de haut sans le cheval !) à garder le palais présidentiel à Rome.

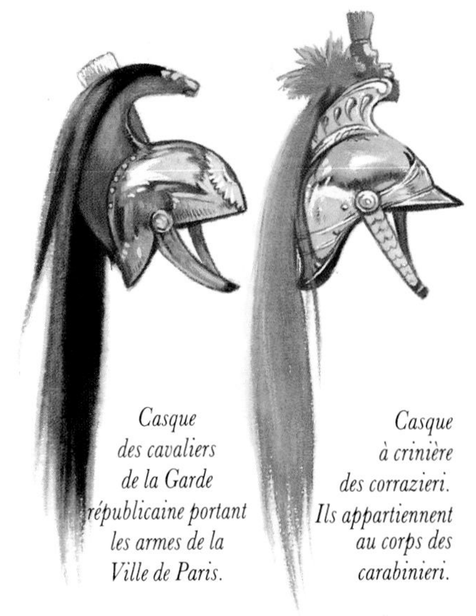

Casque des cavaliers de la Garde républicaine portant les armes de la Ville de Paris.

Casque à crinière des corrazieri. Ils appartiennent au corps des carabinieri.

Cavalier de la police montée indienne.

Horse-guard anglais.

Cheval de travail

Le cheval a donné sa vie pour les guerres des hommes, mais aussi sa force, sa douceur et sa bonne volonté pour des travaux de toutes sortes, à la ville comme à la campagne. Suivant les époques et les pays, il a été attelé par les agriculteurs et les voituriers, avec un collier, un harnais ou une bride. Dans les campagnes, la commodité l'emportait sur l'élégance, mais, en ville, l'aspect extérieur de l'attelage avait une grande importance. Il indiquait la richesse du propriétaire.

À la campagne

Labour au Moyen Âge.

Lorsque l'homme inventa la charrue, il utilisa d'abord des bœufs pour la tirer. Le cheval était alors un animal coûteux, utilisé par les guerriers et les nobles, et pas assez puissant pour accomplir les rudes travaux des champs. Mais les bœufs sont des animaux lents. Aussi s'efforça-t-on d'obtenir par des croisements des chevaux plus gros et plus forts, ainsi les robustes percherons, bretons, ardennais, comtois… Pendant des siècles, ils tirèrent la herse, le rouleau, la faucheuse, la moissonneuse, la faneuse, la charrette… Aujourd'hui, c'est le tracteur qui règne dans les

Faucheuse aux USA, en 1902.

Pour le dépiquage des céréales, on préférait les juments aux mules, à cause de leurs pieds plus larges.

hamps, mais, dans certai-
es régions de France et
u monde, on attelle
ncore des chevaux de trait.
)ans les pays méditerranéens, ce
ont les juments qui assurent le
attage des céréales. Attachées
ôte à côte, elles tournent autour
l'un piquet central sur un espace
ù l'on a disposé la moisson : elles
rottent pendant de longues heu-
es sous le soleil, foulant les épis
usqu'à ce que les grains se sépa-
ent. C'est un travail pénible qui
légage beaucoup de poussière !
)ans les régions montagneuses
omme dans le Jura, où les forêts
ont difficilement accessibles aux
racteurs, les chevaux accomplis-
ent encore le travail du débar-
lage : ce sont eux qui descendent

Au Xe siècle, une invention capitale permit d'utiliser les chevaux de trait avec plus d'efficacité : c'est le collier de poitrail. Avant, le cheval portait un collier de gorge qui lui comprimait le cou et gênait sa respiration.

les troncs d'arbres abattus jusqu'à la scierie, par des sentiers qu'aucun moyen mécanique ne pourrait emprunter sans causer d'importants dégâts aux sous-bois. Et, sur les côtes de Bretagne et d'Irlande, on trouve encore de braves petits chevaux qui, dans l'eau de mer jusqu'au poitrail, ramassent le goémon.

Le cob.

À la ville

La ville était aussi une grande consommatrice de chevaux de travail, car ces derniers étaient les indispensables tracteurs des voitures de livraison, des véhicules de transport en commun ou des voitures privées. En ville, un bel attelage témoignait de la prospérité de son propriétaire : le brasseur livrait la bière dans u somptueux attelage, tandis qu le bougnat, plus modeste, attela ses animaux en tandem, l'u derrière l'autre. Le charbonnie faisait ses livraisons de soupira en soupirail au pas tranquille d son gros cheval. La glace, l lait… étaient livrés de la mêm manière. Les voitures de pom piers étaient toujours menées pa des chevaux gris galopant au so de la cloche, et les corbillards, pa des chevaux noirs marchant pas lents. Au XIXe siècle, l'omni bus, la diligence, le fiacre devin rent de plus en plus nombreux Pour éviter les embouteillages les cochers des voitures légère devaient faire trotter leurs che vaux à chaque croisement d rues ou à l'entrée d'un pont, i fallait les faire ralentir brusque ment. Tous ces changement

l'allure éprouvaient durement es chevaux à qui l'on lemanda, avec le temps, de irer des voitures de plus en plus ourdes. Aussi arrivait-il parfois qu'un attelage s'effondre. À ce régime, il ne fallait pas plus de 5 ans pour user les bêtes. Lorsqu'elles étaient blessées, l'équarrisseur venait les chercher pour les abattre. Il revendait ensuite le crin aux tapissiers, chapeliers ou fabricants de brosses, la corne aux lunetiers, la peau aux tanneurs... Mais le cheval, partout présent dans la ville, fut vite détrôné par le moteur. En 1913, le dernier omnibus parisien tiré par des chevaux fit son dernier voyage. Les cochers devinrent chauffeurs, les maréchaux, mécaniciens.

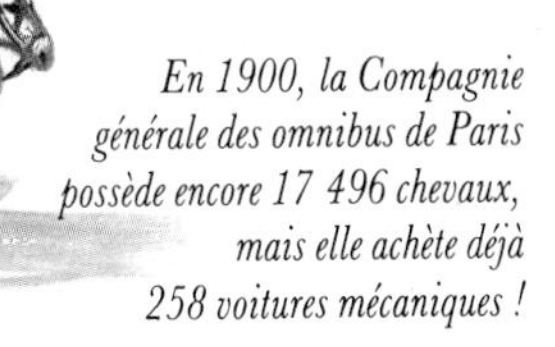

En 1900, la Compagnie générale des omnibus de Paris possède encore 17 496 chevaux, mais elle achète déjà 258 voitures mécaniques !

Travaux de force

Le cheval lourd n'a pas seulement tiré des charrettes. Il portait aussi des charges sur son dos. On l'appelle alors "cheval de bât". Pendant les déplacements militaires, il tirait les canons ou portait le ravitaillement.

Cheval de mine

Il fut souvent remplacé par le mulet, croisement d'une jument avec un âne, ou par la mule, croisement d'un cheval avec une ânesse. Mules et mulets ont le pied sûr et sont très résistants. Aussi les a-t-on beaucoup utilisés dans la conquête de l'Ouest américain pour traîner les chariots et pour tous les durs travaux : pomper l'eau ou actionner une meule à broyer le grain.

Mais les chevaux restèrent toujours l'aide indispensable de l'homme. Au XIXe siècle, ils n'ont jamais été aussi nombreux à la tâche. C'est dans les mines qu'ils eurent la vie la plus dure. Descendus au fond des puits par un harnais, rares étaient ceux qui revoyaient le jour. Pendant 10 ou 15 ans, ils devaient tirer jusqu'à 7 wagons chargés de 4 200 kg de houille, accomplissant dans la journée 20 allers et retours d'1 km. Baissant la tête et pliant les genoux pour se glisser dans les boyaux étroits de la mine, ils travaillaient dans le bruit et la poussière.

À la même époque, c'étaient les chevaux de halage qui tiraient des péniches de 60 à 100 tonnes. Ces tractions épuisantes fatiguaient leurs épaules, blessaient leurs pieds.

Les chevaux qui travaillaient dans les champs étaient amenés moins souvent à la forge que ceux qui sillonnaient le pavé des villes, où l'usure des pieds se faisait plus vite. Pourtant, à la campagne, le maréchal-ferrant était un personnage très important. Non seulement il ferrait les chevaux, mais il les soignait.

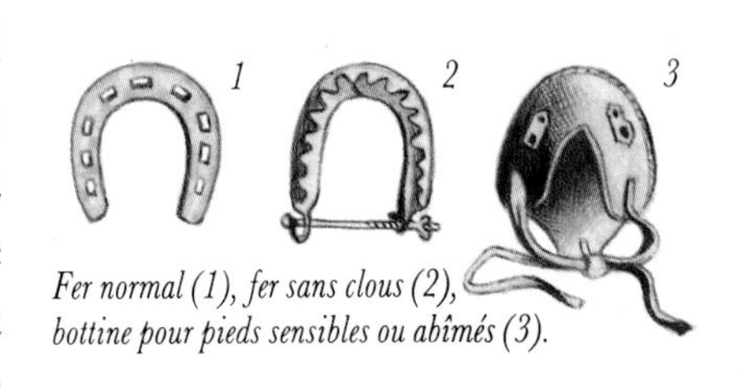

Fer normal (1), fer sans clous (2), bottine pour pieds sensibles ou abîmés (3).

Avant d'être posé sur le pied, le fer est rougi au feu : la corne brûle à son contact, permettant ainsi au fer de mieux adhérer, puis on le cloute.

3

Attelages de prestige

Les premiers attelages ont existé depuis que l'homme a inventé la roue tournant autour d'un moyeu de bois, vers 3000 avant J.-C. Mais il faut attendre le XVe siècle pour qu'apparaissent de réels progrès.

Attelage à 4 (1), à la Daumont (2), en arbalète (3).

La troïka est le classique attelage russe, tiré au centre par un trotteur tandis que les 2 autres chevaux galopent.

À cette époque fut inventée la première suspension faite de courroies de cuir reliées au châssis. Au XVIIe siècle, le cuir fut remplacé par des ressorts métalliques et, au XIXe siècle, l'invention du ressort à lame révolutionna totalement l'attelage, tant pour le confort des passagers que pour la conduite. À chaque époque, il y eut des modes, mais c'est au XVIIIe et au XIXe siècle que les carrossiers créèrent les plus beaux attelages. Ceux-ci pouvaient être attelés à 1 à 8, ou même 11 chevaux. Les voitures les plus importantes, en dehors des diligences et des carrosses, étaient les breaks, les omnibus ou les berlines. Le plus souvent, ils étaient attelés à 4 chevaux, comme les landaus, qui étaient découverts.

Harnais.

Le tonneau ou le buggy, des voitures à 2 roues, étaient menées par 1 ou 2 chevaux. Le cocher dirigeait l'attelage depuis l'avant de la voiture, tandis que le postillon montait à cheval : on dit alors que l'attelage est mené à la Daumont. C'est le cas du carrosse de la reine d'Angleterre, tiré par 8 chevaux : les 4 de la file de gauche sont montés.

Carrosse du couronnement des empereurs autrichiens.

Les voyages

10 jours pour relier le Missouri aux postes frontières de Californie : le cachet en fait foi. Les lettres voyageaient en sécurité dans une poche cadenassée cousue sur la selle.

Sacramento en Californie, 1860 : “il arrive !” À l’horizon de la plaine sans fin, la silhouette d’un cavalier se dessine dans un nuage de poussière. C’est l’un des courriers du Pony Express. Il apporte les dernières dépêches de Saint-Joseph, sur le Missouri. Pour accomplir la distance qui sépare les 2 villes (3 163 km) en un temps record, 10 jours environ, les messagers du Pony Express galopaient nuit et jour à travers plaines ventées, canyons et hauts plateaux, se relayant tous les 120 ou 160 km. Une attaque indienne était toujours à craindre. Aussi fallait-il faire vite ! Pour réussir ces dangereuses missions, le Pony Express recherchait des cavaliers jeunes (pas plus de 18 ans), chevronnés, courageux et, de préférence, orphelins !

Entre 2 relais, un cavalier du Pony Express changeait 6 à 8 fois de monture.

En France, avant que les voyageurs n’empruntent le chemin de fer, il y avait, sur les routes, la chaise de poste particulière, qui

À côté du relais où l'on changeait les chevaux, l'aubergiste accueillait les voyageurs. Sur la route, le courrier n'avait ni repos ni sommeil. Ici les relais, là les bureaux de poste où il échangeait les sacs de dépêches.

s'arrêtait à l'endroit et au moment choisis par le passager, ou le cabriolet, traîné par 2 chevaux et conduit par un postillon, ou la berline, construite sur le modèle des mail-coaches anglaises dont l'élégance et la régularité du service étaient renommées. Elle pouvait faire 16 km à l'heure et, en 1837, il ne fallait pas plus de 44 heures pour franchir les 77 postes qui s'échelonnaient entre Paris et Bordeaux, alors qu'en 1814 il fallait 86 heures. Mais il y avait aussi la malle-poste ou la bonne vieille diligence, appelée Turgotine depuis que Turgot, le ministre de Louis XIV, en avait amélioré la suspension et créé le service de nuit, en 1775. Dans ces "prisons roulantes", on s'entassait à 10 au moins. La conversation aidait à faire passer le temps tandis que le postillon encourageait ses chevaux dans les côtes et évitait les ornières.

Gardiens de bétail

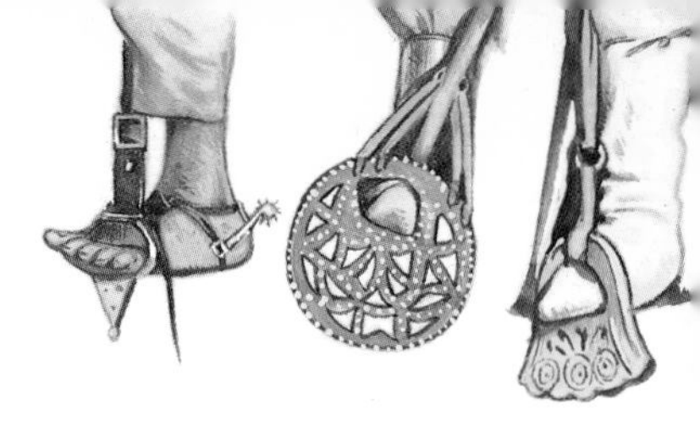

Les premiers bouviers habitués à surveiller des troupeaux vagabonds sur des propriétés sans limites sont les vaqueros, qui, dès le XVIIe siècle, en Amérique du Sud, montaient à cheval pour les rodéos, rassemblements de bêtes permettant de les dénombrer et de marquer les jeunes veaux. Au XVIIIe siècle, ils inventèrent le lasso, une longue lanière de cuir avec un nœud coulant.

Les gauchos, rois de la Pampa argentine, travaillent dans de vastes ranchs appelés haciendas. Leurs selles, leurs brides, leurs éperons s'inspirent encore de l'ancien équipement des vaqueros du XVIIe siècle.

En Argentine, les gauchos utilisent souvent, à la place du lasso, les "boleadores" : 3 pièces rondes recouvertes de cuir et reliées entre elles. Les gauchos les lancent de telle sorte qu'elles s'enroulent autour des membres de la bête et la font tomber. Aux États-Unis, les cow-boys pratiquent toujours l'élevage. Dans les vastes prairies du Wyoming, ils utilisent encore leur cheval, une monture plus souple qu'aucun véhicule ! À l'automne, ils rassemblent les vaches qui ont passé l'été sur des pâturages

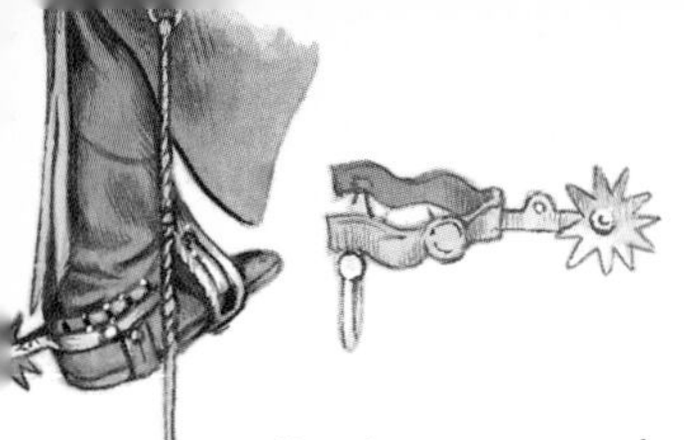

Pour dresser sa monture, le gaucho ne la frappe qu'1 ou 2 fois de la molette redoutable de son éperon. Après cette "leçon", le cheval sait ce qu'il doit faire et réagit au moindre effleurement !

situés parfois à plus de 2 ou 3 jours à cheval du ranch. Après avoir été vaccinées, elles sont menées vers la vallée pour y passer l'hiver. Au printemps, les veaux de un an sont vendus à l'est tandis que les cow-boys repartent vers les pâturages d'été. Si le ranch n'est plus une ferme de rondins, le costume des cow-boys, lui, n'a pas changé : chapeau à large bord, chaps de cuir pour protéger les jambes, bottes, immense imperméable pour s'abriter des intempéries et, le bien le plus précieux du cow-boy : sa selle à pommeau pour fixer le lasso. En Camargue, les gardians rassemblent les taureaux sauvages élevés en liberté. Ces derniers participent aux courses provençales. En sauvant les taureaux, on a sauvé le cheval camarguais, dont la seule raison d'être aujourd'hui est le gardiennage de ces manades.

Gardian camarguais.

Pour le sport

Le pur-sang appartient à la race la plus pure, la plus ancienne. Sa vie dans le désert lui a donné énergie et résistance.
Depuis 5 000 ans, l'homme n'a cessé de l'élever pour son élégance et sa rapidité.
Et, depuis des siècles, il a contribué à améliorer beaucoup d'autres races. Sous le soleil du Maroc, les pur-sang richement harnachés sont lancés au galop par les cavaliers qui tirent des salves : le Fantasia commence !

L'élevage dans un haras

La jument peut se reproduire dès l'âge de deux ans. Les saillies ont souvent lieu au début du printemps.

Dans un haras, on entretient des étalons et des juments pour la reproduction et l'amélioration de la race chevaline. Les étalons sont maintenus à l'écart des poulinières et c'est à l'éleveur de décider du moment de la saillie. La période la plus favorable est le printemps. Pendant l'accouplement, les membres postérieurs de la jument sont entravés pour qu'elle ne tape pas. Son dos et son encolure sont protégés par un tablier de cuir pour éviter les morsures de l'étalon. Celui-ci est tenu en bride par un palefrenier.

Naissance

Lorsque la jument attend un poulain, on dit qu'elle est pleine. Après 340 jours de gestation, elle met bas. Quand tout se passe bien, la mise bas est assez rapide (de 15 à 20 minutes). Ce sont d'abord les antérieurs du poulain qui apparaissent les premiers, puis la tête, comprimée entre les jambes. Le reste sort ensuite aisément. Le poulain pèse alors de 30 à 60 kg, selon la race et la taille de sa mère.

À la naissance, le poulain est entouré d'une enveloppe qui doit être déchirée pour lui permettre de respirer.

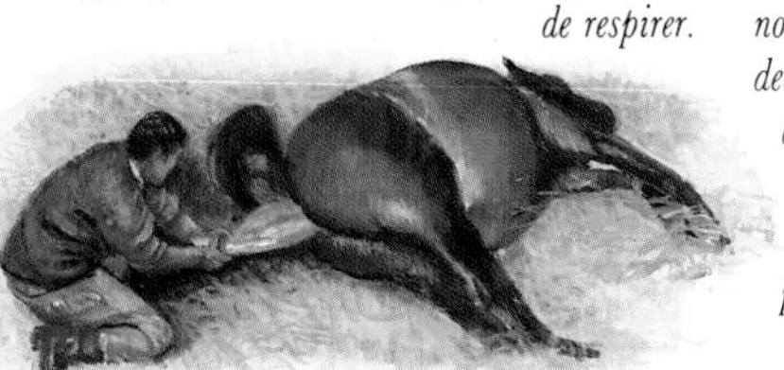

La jument lèche son petit. Le nouveau-né est debout en moins d'une heure et tète sa mère deux heures plus tard.

Carte d'identité

Chaque poulain qui naît dans un haras est déclaré. Il est d'abord "reconnu sous la mère" à la naissance, puis ses "papiers" sont établis. Le certificat d'origine comporte les noms des parents, des grands-parents, la date de naissance, la race, le sexe et un signalement de l'animal, ainsi que le nom et l'adresse de l'éleveur.

Selon sa race, le poulain boit entre 8 et 20 litres de lait par jour.

Le poulain, appelé "foal" au début de sa vie, se nourrit uniquement de lait pendant 3 mois, puis il commence à brouter, mais ne peut être sevré qu'à 6 mois ou plus. À un an, il prend le nom de "yearling". Des liens étroits unissent la jument et son poulain. Celui-ci retrouve facilement sa mère au milieu d'un troupeau.

Les races

Le premier haras royal français fut créé en 1665 au Pin, en Normandie, par Colbert. Des étalons arabes, barbes, espagnols et napolitains y arrivèrent dès 1730. Aujourd'hui, le haras du Pin se consacre à la reproduction. Il abrite une école nationale d'élevage, une école de palefreniers et de maréchaux-ferrants. Le domaine du Pin s'étend sur 1100 hectares, dont 100 sont réservés aux pistes de courses et d'obstacles. Des écuries spacieuses abritent trotteurs et étalons de race différentes. Les saillies ont lieu de février à juillet.

Le haras du Pin, en Normandie, surnommé le "Versailles des chevaux".

De grands cracks y ont assuré leur descendance. Les races élevées en France sont nombreuses. Le pur-sang anglais est un cheval rapide, à l'allure légère et nerveuse. C'est un galopeur. Le trotteur français, très puissant, est élevé pour la course au trot attelée ou montée. Tout comme le cheval de selle français, l'anglo-arabe est le résultat de croisements entre des races régionales et le pur-sang arabe. Celui-ci est le seigneur et ancêtre de presque toutes nos races.

Stalles dans les écuries d'un haras.

À l'époque de la monte, les étalons du Pin sont envoyés dans 25 étalonneries différentes. Parfois, les juments sont amenées sur place, car certains étalons ne quittent pas le haras.

De petite taille, vif et léger, on le reconnaît à sa tête large au front bombé, à ses petites oreilles et à ses nasaux saillants. Sa croupe horizontale est un signe de vitesse et non de puissance. Sa peau est d'une extrême finesse.

Pur-sang anglais.

Anglo-arabe : le cheval des sports équestres et de la chasse.

Quarter (États-Unis).

Selle français.

Le saut

Chez tous les animaux, le saut est naturel, mais certaines espèces sont plus ou moins douées pour cet exercice. Si l'on compare les sauts d'un lapin, d'une gazelle, d'un kangourou ou même d'un cerf de 300 kg à celui du cheval, ce dernier semble piètre sauteur. C'est par sa vitesse à la course qu'il se distingue. En liberté comme en course de haies, le cheval saute "dans la foulée", c'est-à-dire dans un mouvement naturel et coulant. En situation plus artificielle, comme au jumping, le dressage intervient pour améliorer sa technique et son style.

Pendant le saut, le cheval doi être détendu, en confiance. Il lu faut "trousser" correctement le antérieurs pour éviter de touche les barres, ne pas laisser traîne ses postérieurs et les ramene sous son ventre. Certaine erreurs de style entraînent de fautes et parfois des accident graves. Le cheval qui n

s'arrondit pas sur l'obstacle saute "en chandelle". On dit aussi qu'il "prend l'ascenseur". Chez un bon sauteur, les membres sont allongés, l'épaule oblique, le garrot bien sorti, la croupe puissante et les aplombs corrects.

Le jumping

Le saut d'obstacles, ou jumping, fut admis pour la première fois aux jeux Olympiques de 1912. La façon de sauter était différente de celle d'aujourd'hui. Le cavalier franchissait les obstacles le corps incliné en arrière, les jambes en avant, de manière à retomber sur la selle lors de la réception. Le cheval recevait alors un choc sur les reins et son mouvement était très contrarié. C'est un Italien qui, le premier, sauta en se penchant en avant, ce qui soulageait le dos du cheval et rétablissait un équilibre naturel. En 1902, montant le cheval "Melopo", ce cavalier franchit 2,08 m dans cette nouvelle position, qui fut bientôt adoptée dans le monde entier.

Le record du saut en hauteur revient, aujourd'hui encore, à un Chilien : en 1949, il franchit 2,49 m. Le record du saut en longueur est détenu par Ferreira montant "Something", à Joannesburg, en 1975 : 8,40 m.

Les concours hippiques

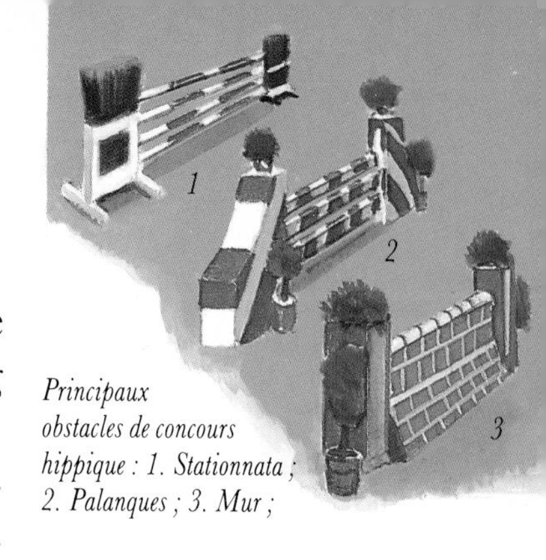

Principaux obstacles de concours hippique : 1. Stationnata ; 2. Palanques ; 3. Mur ;

Le concours hippique est une épreuve de saut. Tout au long d'un parcours de 500 à 1 000 m, sont disposés des obstacles à franchir dans le meilleur temps possible. Ils ne sont pas fixes et tombent dès qu'ils sont heurtés par le concurrent. Cheval et cavalier sont alors pénalisés.

Ces obstacles sont différents : ils peuvent être verticaux, droits, larges ; ces derniers sont les plus faciles, car mieux adaptés à la trajectoire du cheval. Toutes les races n'ont pas la même aptitude à cette discipline équestre. En général, le cheval aurait tendance à contourner un obstacle plutôt qu'à le passer. C'est donc au cavalier de reconnaître les qualités qui font de lui un bon sauteur. Puis il devra le dresser

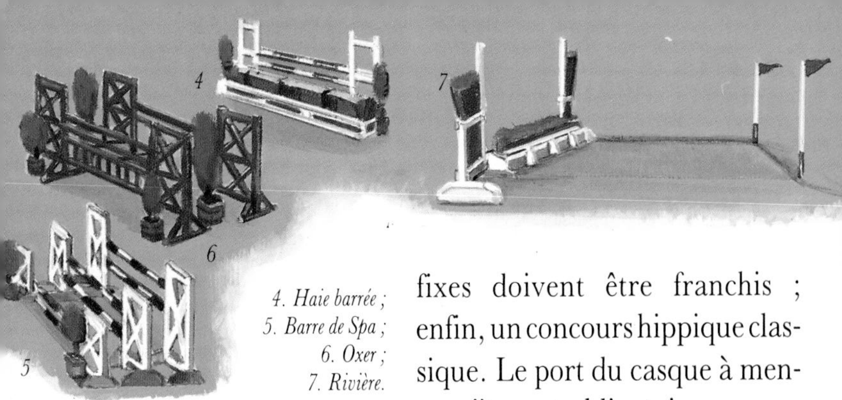

4. Haie barrée ;
5. Barre de Spa ;
6. Oxer ;
7. Rivière.

et le former aux épreuves de vitesse et de précision qui l'attendent.

Le concours complet se déroule en 3 épreuves : le dressage, qui fait la preuve de l'obéissance du cheval et d'une coopération harmonieuse entre le cavalier et sa monture ; le cross-country, épreuve maîtresse, sorte de marathon à travers champs, vallons et bois qui se court sur 7 ou 8 km et où des obstacles fixes doivent être franchis ; enfin, un concours hippique classique. Le port du casque à mentonnière est obligatoire pour se protéger des chutes.

Avant le départ du cross, les concurrents reconnaissent à pied le parcours pour évaluer les difficultés.

Le dressage

Entre le débourrage et l'obéissance à la moindre pression des mains et des jambes du cavalier, quel travail ! Dans la haute école, le dressage devient un art. C'est la beauté du mouvement et la perfection de son exécution qui sont recherchées. Sans une entente parfaite entre le cavalier et le cheval, cela serait impossible. Le Cadre noir de Saumur est l'une des dernières grandes écoles d'équitation du monde. Des écuyers perpétuent une tradition venue du Manège de Versailles, créé par Louis XIV en 1680. Une parade équestre, ou "carrousel", est présentée au public.

Des cavaliers en grande tenue effectuent en groupes des mouvements d'ensemble, qu'on appelle "reprises". Certaines figures de ce ballet demandent une synchronisation parfaite, car tous les chevaux n'avancent pas à la même cadence.

Un "saut d'école" du Cadre noir : la courbette, dans laquelle le cheval se cabre, les antérieurs ployés et les postérieurs étendus.

Manège de l'École espagnole de Vienne, en Autriche.

La reprise peut être aussi le travail d'un seul cavalier et de son cheval. À Saumur, les 3 figures appelées "croupade", "cabriole", "courbette" sont en général présentées à plusieurs. Dans la "reprise des sauteurs", les chevaux sont montés avec une selle spéciale relevée à l'arrière ; la selle à piquer et les sauts se font sans étriers.

L'École espagnole de Vienne fut créée en 1729. De magnifiques chevaux lipizzans, à robe blanche, y effectuent des figures d'équitation classiques. Ils sont les descendants des étalons venus d'Andalousie au XVIIIe siècle. Croisés avec des juments arabes et napolitaines, ils doivent leur nom au haras de Lipizzan, où naquit la race. À la naissance, les lipizzans sont noirs ; puis, ils deviennent blanc-gris. À Saumur comme à Vienne, certaines figures exécutées remontent à d'anciennes traditions du Moyen Âge. Ces démonstrations cavalières étaient en effet destinées à effrayer les troupes ennemies.

Pour exécuter une cabriole, le cheval détache une ruade en l'air avant de retomber sur le sol.

À Saumur, la croupade est une ruade, antérieurs en arrière, postérieurs complètement détendus.

L'attelage de sport

Dans un concours d'attelage, la première épreuve débute par l'appréciation de la qualité du meneur, de la propreté des chevaux, de la voiture et des harnais.

La seconde épreuve est un parcours comprenant différentes sections faites au pas et au trot.

Dans la troisième, les obstacles : bornes, murs, gués... doivent être franchis sans aucune marche arrière.

Diriger un cheval n'est pas toujours chose facile pour un cavalier. Imaginez alors de quelle habileté il faut faire preuve pour en conduire plusieurs, sans l'aide des jambes. Le conducteur d'un attelage, appelé "meneur", dispose seulement de ses mains pour tenir, rallonger ou raccourcir les guides, de sa voix ou de claquements de langue et d'un fouet. Il peut aussi recevoir l'aide d'un "groom", qui rétablit l'équilibre de l'attelage en faisant le balancier à l'extérieur de la voiture. Un attelage à quatre comporte 2 grooms, un attelage à deux n'en a qu'un seul.

Le cheval, habitué progressivement aux harnais de trait, doit être dressé à obéir au cocher et à l'action des guides. Pour lui apprendre à travailler par paire, on l'associe à un autre cheval déjà dressé qui joue le rôle de "maître d'école".

L'attelage, qui avait autrefois un rôle utilitaire, a bien failli être oublié avec l'apparition de l'automobile et du train. Heureusement, les haras nationaux ont préservé la tradition des grands attelages et, depuis quelques années, cette discipline est revenue à la mode grâce aux compétitions. Celles-ci comprennent 3 épreuves : présentation et dressage, marathon, parcours. Ces manifestations sont aussi des épreuves d'élégance. Le style des voitures doit s'accorder à celui de l'équipage. Les chevaux sont toilettés, la queue est très soigneusement préparée afin qu'elle ne se prenne pas dans les traits. Le meneur porte gants et chapeau haut de forme, gris s'il est propriétaire, noir s'il ne l'est pas.

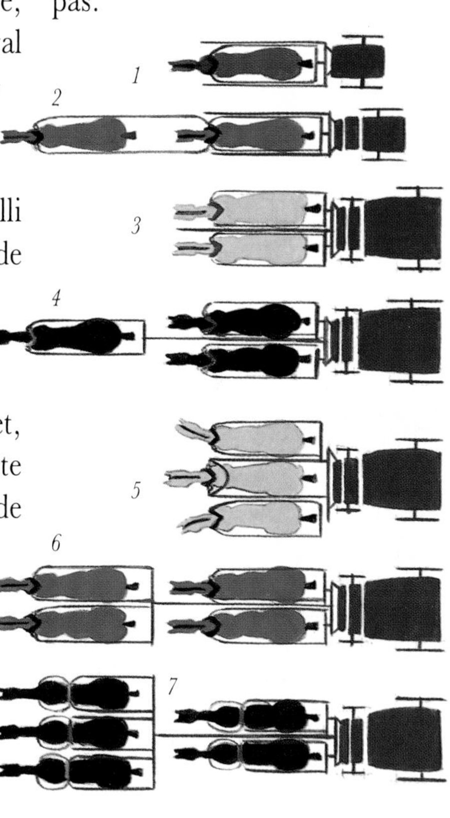

Quelques types d'attelage :
1. attelage par un ;
2 et 3. en tandem ;
4. à trois, en arbalète ;
5. en troïka ; 6. à quatre ;
7. à la hongroise.

Les courses de plat

Autrefois, en course de plat, les jockey "étrivaient" long, les pieds en avant, les talon bas. En 1898, les jockeys américains importèren la monte actuelle qu favorise la vitesse, rênes et étrier courts, corp penché sur l'encolure, pointe des pied dirigée vers le sol.

En 720 av. J.-C., les courses de galop montées faisaient déjà partie des jeux d'Olympie, en Grèce. Aujourd'hui, le seigneur des hippodromes est le pur-sang anglais. Rapide, bon galopeur, imbattable sur de moyennes distances, c'est le cheval de courses par excellence.

Les concurrents dans les "boîtes" de départ. Très nerveux, les chevaux de courses pourraient difficilement partir ensemble sur la même ligne.

Les chevaux sont capables de performances extraordinaires en obstacles. Ils débutent généralement leur carrière à 2 ans et la finissent à 4 ans pour devenir reproducteurs. Les courses de plat sont souvent plus dangereuses que celles d'obstacles, car la vitesse y est plus grande.

Quand le départ est donné, les 'boîtes'' s'ouvrent d'un coup et es chevaux s'élancent. Un pelo-on se forme puis les meilleurs distancent les autres. En courses de plat comme en obstacles, le poids du jockey est réglementé. Il varie selon l'âge du cheval et le nombre de ses victoires : plus le cheval a gagné de courses, plus le jockey peut être lourd. C'est un désavantage, ou ''handicap''. Les courses à handicap égalisent es chances des concurrents.

En France, l'un des champs de courses les plus connus est celui de Longchamp, près du bois de Boulogne, à Paris.

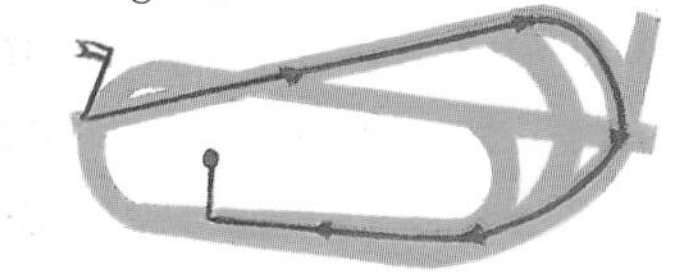

Parcours du Prix de l'Arc de Triomphe. En France, les courses réservées aux chevaux ''autres que des pur-sang anglais'' s'appellent A.Q.P.S.

Aux États-Unis, le cheval qui remporte une victoire est couvert de roses.

De grandes courses s'y déroulent, notamment le Prix de l'Arc de Triomphe, tandis que le Prix de Diane se court à Chantilly. Le Derby d'Epsom, en Angleterre, est l'équivalent du Prix de l'Arc de Triomphe. L'un des plus grands jockeys est Yves Saint-Martin. Engagé dans 10 000 courses, il a remporté 2 500 victoires. Avant lui, il y eut Lester Piggot, et, aux États-Unis, Willie Shomaker, qui gagna 7 000 courses ! Un fabuleux pur-sang anglais, ''Sea Bird'', gagna toutes les grandes courses.

Les courses d'obstacles

En obstacles, les chevaux débutent généralement à 3 ans, sur des haies faites en matériaux légers. Les chevaux peuvent “brousser” dedans, c'est-à-dire passer les antérieurs au travers en sautant. Le steeple-chase est une autre sorte de course d'obstacles qui, en plus des haies, comporte des murs, des rivières, des buttes. Toutes ces difficultés font qu'il est réservé aux chevaux expérimentés. Il se court sur des distances plus grandes que les courses de haies. En France, l'hippodrome le plus réputé pour ce genre d'épreuve est celui d'Auteuil, à Paris dont le steeple-chase est connu dans le monde entier. Mais le plus difficile de tous est celui d'Aintree, en Grande-Bretagne 42 obstacles à franchir avant le poteau d'arrivée ! Une telle

En trot monté, le jockey bien en selle, contient sa monture et l'empêche de galoper. Le plus grand prix de trot attelé en France, le Prix d'Amérique, se court à Vincennes. Aux États-Unis et en Australie, il existe des courses de trot "à l'amble" : le cheval court en levant en même temps les deux membres du même côté.

course exige des cavaliers et de eur monture un effort excep-ionnel, proche de l'exploit. Le teeple-chase, qui signifie 'chasse au clocher", se prati-quait en Irlande au XVIIIe siè-le. Deux cavaliers fonçaient au galop droit devant eux dans la campagne, vers un point facile-nent repérable : le clocher.

Les courses de trot

C'est surtout en France et aux États-Unis que les courses de rot ont un énorme succès. Le rotteur est un cheval de courses au tempérament différent de celui du pur-sang anglais, qui est un galopeur. Son dressage est, lui aussi, différent puisqu'il s'agit de le faire courir le plus vite possible à une allure inter-médiaire et de l'empêcher de galoper. Un trotteur qui galope est "distancé", c'est-à-dire qu'il est pénalisé. En vitesse de pointe, il peut atteindre 50 km à l'heure. Les courses de trot peu-vent être montées ou attelées. Dans ces dernières, le cheval tire un "sulky". Ce véhicule à deux roues, pesant une vingtaine de kilos, ne gêne pas le cheval dans sa vitesse. Le conducteur, ou "driver", est assis très bas et conduit le cheval avec des gui-des ; il a les pieds calés entre les brancards.

Le monde des courses

Casaques et toques aux couleurs de différentes écuries.

Il a gagné ! Quand un cheval remporte une course, c'est toute une chaîne de personnages qui a participé à sa victoire : le propriétaire des chevaux, qui possède les très importants moyens financiers nécessaires à la vie d'une écurie de course (il a parfois un haras et peut ainsi orienter son élevage) ; l'entraîneur, à qui sont confiés les chevaux et qui, responsable de la bonne marche de l'écurie, décide de l'entraînement de chaque cheval et des courses qu'il lui fera courir ; les lads, ou apprentis, qui sortent e

Avant et après la course, le jockey est pesé avec sa selle. Celle-ci pèse moins de 1 kg. L'effort intense de la course fera perdre au jockey 1 kg !

À l'occasion des grands prix, le paddock et le tribunes sont envahis par d'élégants spectateurs En Angleterre, à Ascot par exemple, les homme portent jaquette et haut-de-forme Les courses sont l'enjeu de paris, pris le matin avant la course. Le montant des enjeux est répart entre les joueurs gagnants. L'État en prélève une partie.

travaillent les chevaux entre les courses et qui espèrent courir un jour à leur tour ; enfin, le jockey, qui monte en course. Un jockey peut être professionnel ou amateur (gentleman-rider). Chaque jockey est spécialisé dans un type de course : plat ou obstacles. Il porte les couleurs de l'écurie pour laquelle il travaille et peut courir pour différentes écuries dans une même journée.

Avant et après la course, propriétaires, entraîneurs et jockeys se retrouvent au pesage. Le jockey reçoit les dernières instructions car, souvent, il ne connaît pas le cheval qu'il monte. Puis c'est le "paddock", ou rond de présentation. Les chevaux marchent, tenus en longe par un lad. C'est là que le jockey monte en selle. On l'y aide, car les étriers sont très courts. Lorsque le jockey monte un cheval à handicap et qu'il n'est pas assez lourd, on ajoute du plomb dans le tapis de selle. Après la course, le jockey est à nouveau pesé. On s'assure ainsi qu'il n'y a pas eu de tricherie.

Les tribunes

La coupe de la victoire est remise à l'écurie gagnante, tandis qu'un lad prend soin du cheval et le ramène à son écurie dans un camion appelé "van".

Jeux équestres

Le cheval a changé avec l'homme. D'abord gibier, il est devenu ensuite outil de guerre et de travail, puis sportif accompli. Courageux face au taureau dans l'arène, complice des chiens à la chasse, il fait aussi carrière au cinéma dans les films de cape et d'épée et les westerns.
Et, quand il apparaît sous les projecteurs de la piste aux étoiles, sa grâce et ses prouesses éblouissent les spectateurs. Ces exercices parfaitement exécutés sont le résultat d'un apprentissage difficile. L'homme a su exploiter la mémoire, le goût du jeu et la gaieté naturelle de l'animal. C'est aussi un duo d'amitié et de confiance entre l'homme et le cheval.

Le polo

Le polo est l'un des plus anciens sports équestres du monde. Il a sans doute été inventé en Perse, avant l'ère chrétienne.

Depuis 1936, il ne fait plus partie des disciplines olympiques, car trop peu de pays le pratiquent. Ce sport demande en effet du beau temps et beaucoup d'argent. Les meilleurs joueurs de polo sont les Argentins, viennent ensuite les Américains et les Anglais.

Jeu de polo en Chine.

Le polo se joue sur un terrain d
275 m de long sur 150 m de large
Pendant une heure de jeu, divisée en 8 périodes appelées *chukkas*, de 7 minutes 30 chacune
chaque équipe, composée d
4 joueurs, tente de lancer un
balle en bois dans les buts adverses, 2 poteaux rouge et blan
distants de 7,50 m.

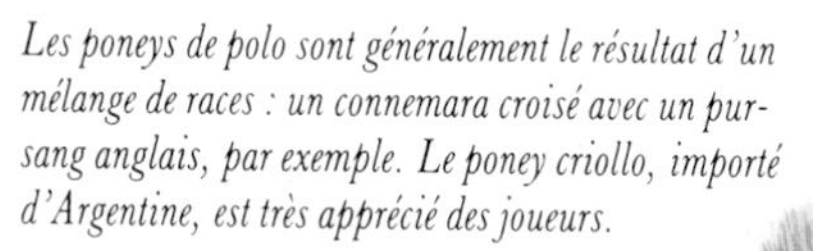

Les poneys de polo sont généralement le résultat d'un mélange de races : un connemara croisé avec un pur-sang anglais, par exemple. Le poney criollo, importé d'Argentine, est très apprécié des joueurs.

Chaque joueur doit posséder 3 ou 4 poneys car, après une chukka, la fatigue du cheval oblige le cavalier à changer de monture. Ce sport n'est pas sans danger. Il exige du cavalier une solide pratique de l'équitation, de bons réflexes et des nerfs d'acier. Ce jeu violent demande aussi un cheval très attentif. Les poneys de polo sont en fait des chevaux de petite taille, sélectionnés pour leur rapidité, leur adresse, leur courage et leur endurance.

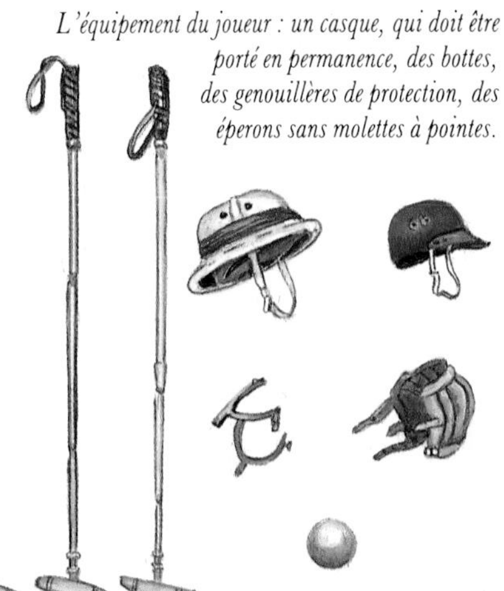

L'équipement du joueur : un casque, qui doit être porté en permanence, des bottes, des genouillères de protection, des éperons sans molettes à pointes.

L'instrument du jeu est le maillet, longue canne en jonc dont la tête est en bois dur.

Leur queue est toujours tressée, pour éviter que le maillet avec lequel les joueurs frappent la balle ne se prenne dedans. Leurs membres sont protégés par des bandes aux couleurs de l'équipe. Le *paddock-polo* et l'*indoor-polo* nécessitent un terrain plus petit. Chaque équipe comprend 3 joueurs et la balle est en caoutchouc-mousse au lieu d'être en bois.

Durant le jeu, les membres des poneys sont protégés par des guêtres ou des bandes.

Jadis, un passe-temps royal.

La chasse à courre

On dit qu'elle est sanguinaire et que rares sont les fois où le cerf, le sanglier, le chevreuil ou le renard échappent à la meute des chiens courants. Pourtant, ceux qui aiment cette chasse disent qu'elle est plus humaine que la chasse à tir : ou bien l'animal est pris, ou bien il s'échappe, mais on ne le laisse jamais blessé dans un bois.

La chasse à courre est aussi ancienne que l'équitation. En Irlande, en Angleterre, c'est un sport : chevaux et cavaliers franchissent clôtures, murets, haies, poursuivant à travers champs le renard. En France, la vénerie, ou chasse à courre, se pratique en forêt à travers un réseau de sentiers. Elle dure plusieurs heures sur un parcours pouvant dépasser 50 km. Aussi le cheval de vénerie doit-il être résistant, ne pas craindre de s'enfoncer dans les taillis.

Certaines cavalières montent en amazone.

C'est Louis XIV qui créa la première tenue de vénerie : habit bleu galonné.

Cor de chasse.

Bouton d'équipage.

Dague avec laquelle le veneur "sert" l'animal, l'achève.

Chaque équipage a aujourd'hui une tenue à ses couleurs.

Il doit avoir le pied sûr car le terrain est souvent difficile. Pour l'aider, ses sabots sont munis de crampons. Son maître lui demande de n'avoir peur ni des chiens ni des sonneries de trompe qui servent à les exciter, les retenir, les relancer, les décourager ou à appeler les compagnons de chasse et à les renseigner. Ces qualités d'endurance et de docilité se rencontrent chez le selle français et l'anglo-arabe.

Un équipage de vénerie se compose d'un maître d'équipage, de piqueux qui s'occupent de la meute au chenil et accompagnent et surveillent la meute pendant la chasse...

enfin, de valets de limiers qui font les bois : ils reconnaissent à l'avance la bête de chasse et la jugent par son pied et ses allures.

Cheval de corrida

Dans la corrida espagnole, c'est à pied que l'homme affronte le taureau. Cependant, des chevaux entrent dans l'arène, ceux des picadors. Le picador a pour tâche de fatiguer le taureau et de permettre ainsi au matador d'observer les réactions de l'animal au combat. Depuis 1928, les chevaux sont obligatoirement recouverts d'un épais caparaçon de protection. Leurs yeux sont bandés. Ainsi, ils s'en remettent entièrement au commandement de leur maître, sans voir le danger.

Le picador essaie de contenir le taureau avec sa lance. Il le blesse au garrot pour l'affaiblir, mais c'est le matador qui portera le coup final. Le moment où la bête furieuse est touchée est le plus

Au XVIIe et au XVIIIe siècles, les combattants à cheval luttaient contre le taureau avec une lance. Elle est aujourd'hui remplacée par des banderilles.

Les chevaux de corrida sont de race espagnole. L'andalou, puissant et fougueux, manque parfois de vitesse. Croisé avec un pur-sang arabe, il devient plus rapide.

dangereux pour le cheval. Il peut alors recevoir des coups de corne et se faire éventrer.

Dans l'arène portugaise

Les hommes qui torréent à cheval s'appellent des "rejoneadores". Le cavalier tient d'une main les rênes, de l'autre une banderille avec laquelle il doit toucher le taureau en un point précis du garrot. La bête ne doit être défiée que de face et seulement si elle charge. Ce jeu dangereux remonte au temps où les tournois et les duels étaient interdits, pour préserver les vies humaines. Cet exercice remplaça les épreuves de chevalerie. Il était réservé aux nobles. Le sentiment d'honneur attaché à ces luttes à cheval se transmit aux combattants de la corrida à pied.

Esquiver le taureau, parer ses attaques nécessitent un dressage parfait du cheval. Il lui faut une souplesse et une rapidité naturelles, mais aussi de la docilité et une confiance absolue en son maître pour ne pas perdre son calme si les choses tournent mal.

Tenant la cape d'une main, le torero attend sans bouger la charge du taureau, rendu furieux par la pose des banderilles. Au dernier instant, il déplace la cape, et fait ainsi dévier la bête.

Au cirque et au cinéma

La piste du cirque a un diamètre de 13 m qui correspond à la longueur du plus grand fouet utilisable : la chambrière. La voltige, la haute école, l'acrobatie sont des disciplines difficiles qui demandent un long apprentissage et un entraînement quotidien. L'écuyer acrobate travaille sans selle et n'apprend pas à monter à cheval comme un cavalier classique. Il saute en croupe et s'y tient debout ou à genoux.

Pour lui éviter de glisser, on saupoudre la croupe du cheval de résine. Celle-ci étant moins voyante sur le gris, les chevaux à robe grise sont nombreux au cirque. La haute école de cirque est souvent critiquée

La chambrière fait comprendre au cheval ce que le dresseur veut obtenir de lui. La voix rassure l'animal. Les friandises et les caresses récompensent un bon travail.

car les figures, très spectaculaires, sont parfois exagérées. Elle demande pourtant une grande concentration du cavalier et de sa monture. Le clou du spectacle est souvent un grand carrousel de chevaux en liberté. Dressés à la voix, ils obéissent au claquement du fouet. Avant son numéro, le cheval a besoin d'être rassuré. Dans les coulisses, son dresseur l'encourage pour le mettre en condition. Émotif et sensible, il est, comme tous les artistes, meilleur certains soirs.

Position du "chien assis".

Au cinéma

Le cheval a débuté au cinéma avec le premier western de l'histoire, en 1905 ! À l'époque, les cascades n'étaient pas réglées comme aujourd'hui. Beaucoup de chevaux blessés au cours du tournage devaient être abattus.

Aujourd'hui, les cascadeurs réalisent des prouesses tout en évitant le plus possible les accidents. Les chevaux s'habituent aux bruits du plateau et, quand l'assistant crie : "moteur !", ils sont prêts à tourner.

Les grandes scènes de batailles sont particulièrement difficiles à réaliser. Pour le film "Cléopâtre", *plus de 1 000 chevaux étaient sur le plateau de tournage.*

Anatomie

Le squelette

Il est constitué de 192 à 200 os et représente 7 à 8 p. 100 du poids de son corps. La colonne vertébrale est formée de 51 à 54 vertèbres, selon la longueur de sa queue. C'est un point fragile de son corps.

La respiration et la circulation

Les poumons du cheval sont dévelop-pés car c'est un animal adapté à la course. Son cœur est très volumi-neux. Au repos, chez un cheval de selle, il bat de 35 à 45 fois par minute mais, chez un pur-sang, pendant une

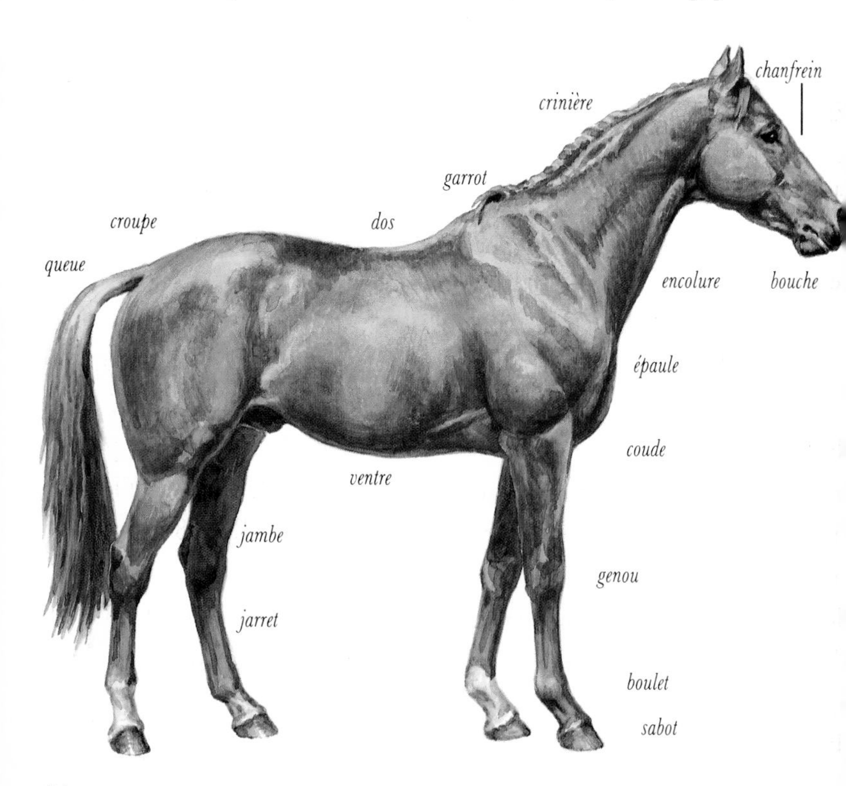

ourse de plat, le rythme peut attein-
re plus de 200 contractions par
ninute.

Le poids

Jn poulain, qui pèse de 45 à 60 kg à
a naissance, grandit jusqu'à l'âge de
ans environ. Son poids atteindra de
00 à 800 kg et même une tonne pour
es races lourdes.

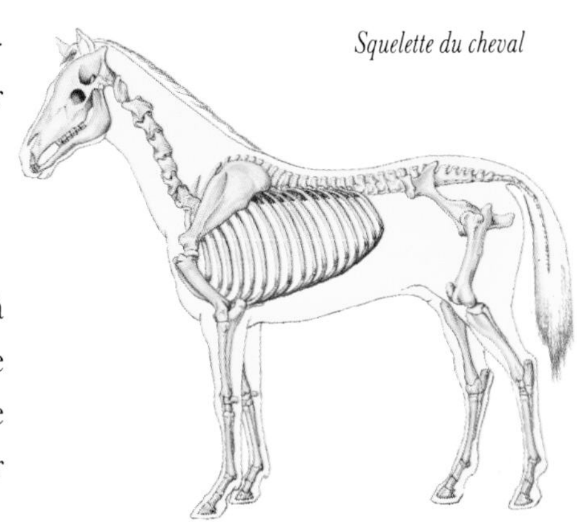

Squelette du cheval

La taille

Elle se mesure au garrot. Si le cheval
moins de 1,47 m au garrot, il est
lassé dans la catégorie des poneys.
a taille moyenne des chevaux de
elle varie entre 1,55 m et 1,75 m.

Les aplombs

On appelle "aplombs", les lignes de
lirection que doivent suivre les
nembres du cheval. Pour les posté-
ieurs comme pour les antérieurs,
lles doivent être parallèles, de face,
le profil et de dos. L'anatomie du
heval n'est harmonieuse que si les
plombs sont parfaits. S'ils sont
léfectueux, le cheval a un mauvais
équilibre. Il risque de tomber et de se blesser. Si les pieds sont tournés vers l'intérieur, on dit que l'animal est "panard" ; s'ils sont trop rapprochés, qu'il est "cagneux".

Locomotion et vitesse

Le cheval marche sur un seul doigt, très développé. C'est un solipède. La vitesse varie selon l'allure. Au pas, le cheval parcourt de 6 à 9 km à l'heure, au trot simple de 15 à 18 km, tandis qu'au trot allongé, il peut atteindre 50 km à l'heure. Au galop de course, la vitesse dépasse 60 km à l'heure : à chaque foulée, il progresse alors de 5 à 7 mètres.

Carte d'identité

À sa naissance, le cheval reçoit une carte d'identité sur laquelle sont portées les particularités permettant de le différencier de tous les autres chevaux. Le signalement du cheval est contrôlé avant toute activité de l'animal : avant une course, une compétition équestre, une saillie, une vente, un déplacement, un concours...
Chez certains chevaux, les particularités sont localisées sur le corps, souvent sur l'abdomen. Les clydesdales écossais, par exemple, ont parfois de grandes taches blanches sur le ventre. Lorsque les taches sont toutes petites, on les appelle des "mouchetures". Elles peuvent être grises ou noires, selon la robe du cheval.

Des taches noires sur un alezan s nomment "charbonnures", de taches noires et rouges sur un gri font une robe "truitée". Des rond réguliers forment des "pommelu res". Il s'agit alors de chevau domestiques. Les authentiques che vaux sauvages ont une robe neutre qui leur sert de camouflage dans l nature. On peut aussi observer sur l corps une bande sombre qui relie le deux épaules, c'est la "bande cru ciale", ou une bande sombre qu prolonge la crinière sur le dos et le reins, c'est la "raie de mulet".

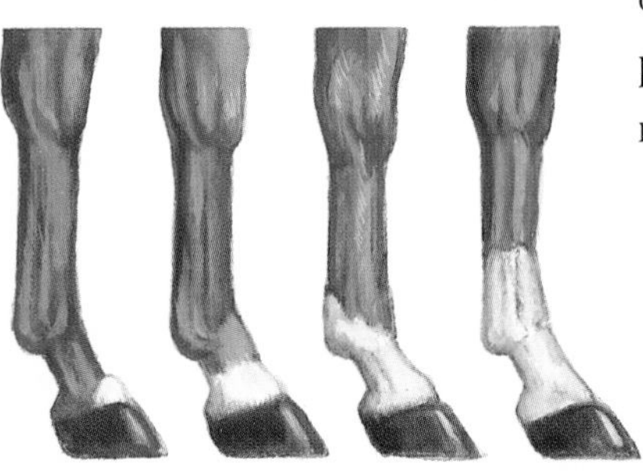

De gauche à droite
trace en pinc
balzane à mi-paturon
balzane au boule
balzane à mi-canon

Sur la tête

)n trouve souvent sur le front une ıche de poils blancs qui porte des oms différents selon sa taille : si elle st petite, c'est une étoile ou une elote ; si elle forme une ligne qui escend sur le chanfrein, c'est une ste. La liste peut être normale, nterrompue, fine, large. Si la tache escend jusqu'à la lèvre inférieure, le heval ''boit dans son blanc''. Si les ìvres, le bout du nez ou le menton ont roses, ''il a du ladre''.

Les membres

.es marques blanches au niveau des nembres sont aussi décrites dans le ivret d'identité. La balzane est une ache située sur un membre, qu'elle ntoure comme une chaussette. Selon son importance, elle porte des noms différents : ''trace de balzane'' est une marque qui ne fait pas le tour complet du membre ; ''principe de balzane'' est une trace qui ne dépasse pas le quart inférieur du paturon, mais qui entoure le membre. Il y a aussi la ''balzane chaussée'' ou ''haut-chaussée''. Si de petites taches sont incluses dans le blanc, c'est une ''balzane herminée''.

Mouchetures

Raie de mulet

La robe

La robe d'un cheval est la couleur d son pelage, formé de poils courts e touffus sur le corps et de crins longs e épais sur la queue et la crinière.
La couleur de la robe n'est pas u signe de qualité, mais c'est souvent u point de repère par rapport à une race Les nuances des couleurs sont si nom breuses qu'il est difficile d'en faire l liste. Elles varient du blanc, comm chez l'albinos, qui n'a pas de pigmen tation, au noir zain, qui ne posséd aucun poil blanc. Entre les deux, existe une grande variété de couleurs Enfin, la robe du cheval peut s transformer au cours de sa vie les nuances varient selon son âge

La robe noire est exceptionnelle chez les chevaux de sang ; on dit plutôt "bai brun foncé". On la rencontre généralement chez les chevaux lourds, et notamment chez le percheron.
La robe blanche est elle aussi très rare. La plupart des chevaux d'apparence blanche sont en réalité des chevaux gris. En vieillissant, ils deviennent de plus en plus blancs.

Aubère

Rouan

Gris

Pie

époque de l'année ou la nourriture.

'our se souvenir du nom des couleurs les robes, il existe un code :

3.A.N.C. - B.I.S. - G.A.L. - R.P.

3.*A.N.C. : robes simples.* Les poils et les rins sont de la même couleur.

3lanc-Alezan-Noir-Café-au-lait.

Jn cheval ne naît jamais blanc, mais ;ris. C'est en vieillissant qu'il devient)lanc.

3.*I.S. : robes composées.* Les crins sont ıoirs et les poils d'une autre couleur.

3ai-Isabelle-Souris.

Ĵ.*A.L. : robes mélangées.* Poils et crins ;ont de couleurs mélangées.

Jris-Aubère-Louvet.

R.*P. : R*ouan : trois couleurs sont nélangées. *P*ie : des taches blanches ;'ajoutent à une ou deux couleurs.

La robe café-au-lait, qui ne comporte aucun crin noir, la robe souris, aux poils gris cendrés et aux crins noirs, la robe louvet, aux poils bruns et rouges mélangés, la robe pie : ces quatre robes ne sont officiellement admises que chez les poneys et les chevaux importés.

Bai

Alezan

Isabelle

Café-au-lait

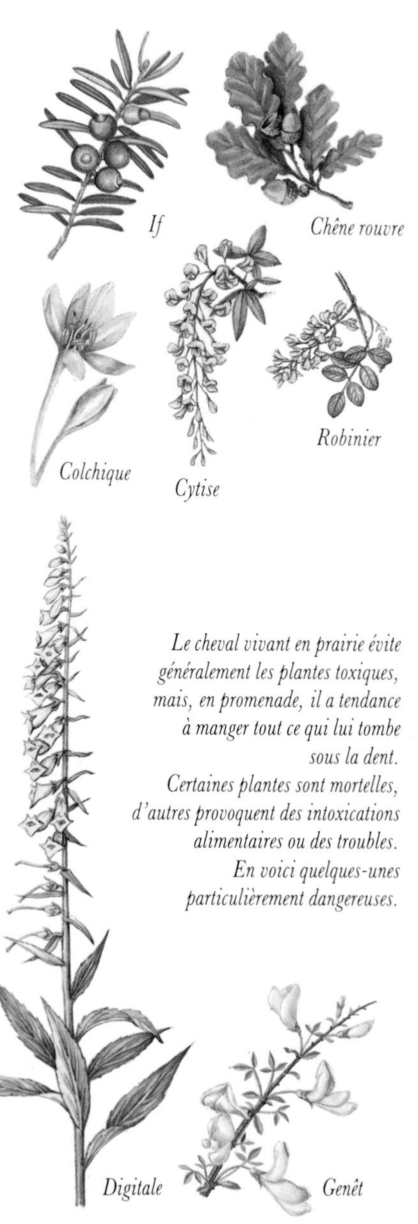

*Le cheval vivant en prairie évite généralement les plantes toxiques, mais, en promenade, il a tendance à manger tout ce qui lui tombe sous la dent.
Certaines plantes sont mortelles, d'autres provoquent des intoxications alimentaires ou des troubles.
En voici quelques-unes particulièrement dangereuses.*

L'alimentation

Le cheval est herbivore et granivore. À l'état sauvage, il se nourrit d'herbe, mais, lorsqu'il est domestiqué, on doit compléter son alimentation si l'on veut qu'il fournisse un travail important. Son estomac est petit et ne contient que 15 litres contre 200 litres chez les ruminants, mais la longueur de son intestin lui permet une assimilation presque semblable à celle des ruminants.

On dit qu'un cheval est "mis au vert" quand il reste en prairie. La qualité de l'herbe est importante, mais elle ne suffit pas à assurer un bon équilibre alimentaire. Autrefois, la nourriture du cheval se composait de fourrage : foin, luzerne, paille, avoine. On y ajoutait de la mélasse (liquide sucré provenant de la betterave), du son, des carottes et des navets.

Aujourd'hui, on dispose d'aliments composés sous forme de granulés, et l'on mélange désormais fourrage et granulés.

;omme pour tout athlète, l'alimen-
ıtion du cheval doit être équilibrée
t les rations adaptées au poids, à la
aille et à l'effort fourni. Ainsi, il
xiste des plats pour remonter les
hevaux fatigués ou pour stimuler
:ur appétit. Le "mash" est un plat
haud composé d'avoine, d'orge, de
on, de graines de lin écrasées et
alées. Le "barbotage", mélange de
on et d'eau, facilite le transit
ıtestinal.

Jn cheval en box est nourri trois
is par jour. Il doit avoir à sa dispo-
ition de l'eau pure, pas trop froide :
en boit de 15 à 60 litres, selon la
empérature extérieure et le travail
ourni. Après une journée de travail, on disait que le cheval avait bien mérité "son picotin". Le picotin est une ancienne unité de mesure égale à 2,5 litres, qui servait autrefois à mesurer l'avoine des chevaux.

Celle-ci contient trop de phosphore par rapport au calcium, qu'il faut ajouter à l'alimentation, car le cheval en perd beaucoup par la sueur, après un effort intense. L'avoine est aussi un excitant. On dit des chevaux de course qu'ils sont "avoinés", c'est-à-dire d'une grande nervosité, avant le commencement de l'épreuve.

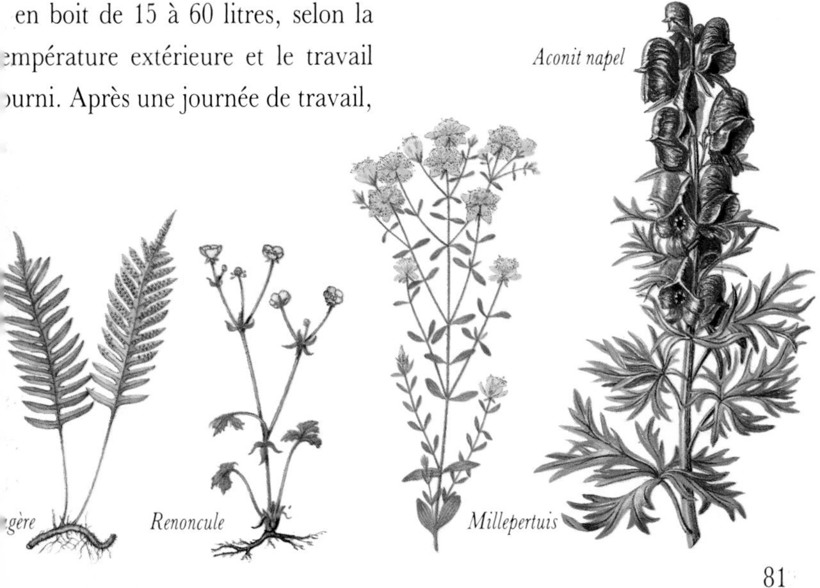
Aconit napel
:gère *Renoncule* *Millepertuis*

Le pansage

Lorsque les chevaux ne sont pas au pré, ils vivent à l'écurie, en boxes, où ils sont libres de leurs mouvements, ou en stalles, où ils sont attachés par un licol. Boxes et stalles doivent être nettoyés chaque jour. C'est le travail des palefreniers, qui s'occupent aussi de l'entretien du cheval et du matériel de sellerie. Dans les écuries de courses, les palefreniers sont appelés des "lads" ; dans le milieu du concours hippique, on les nomme des "grooms".

La toilette quotidienne du cheval es le pansage. On utilise d'abor l' "étrille", petit instrument en plastique, en caoutchouc ou en fer, qu sert à gratter l'animal lorsqu'il es très sale ou qu'il a beaucoup d poils ; on ne l'utilise jamais sur le membres, la tête ou les crins Ensuite, on emploie une brosse dure ou "bouchon", pour enlever la bou et la poussière.

Maniée énergiquement par le lad, elle devient un bon massage pour le cheval. La brosse douce en soie débarrasse la robe, la queue et la crinière des pellicules et du sébum (sécrétion grasse de la peau). Le peigne est seulement utilisé pour la crinière, humectée auparavant pour être facilement démêlée... Il ne faut pas s'en servir pour la queue, car il arracherait les crins. Le couteau de chaleur racle l'eau après la douche ou la sueur après la course. Le cure-pied permet de débarrasser le pied de la boue ou des cailloux qui y sont incrustés. Pour éviter la boiterie, il faut vérifier l'état des pieds avant et après la promenade. Ensuite, le cheval est parfois tondu, selon des dessins précis. Enfin, les yeux, les naseaux et la commissure des lèvres sont nettoyés avec une éponge humide et la robe lustrée avec un chiffon appelé "époussette".

Le pansage est essentiel à la bonne santé de l'animal. Après ces opérations successives de toilettage, le cheval est prêt à être habillé.

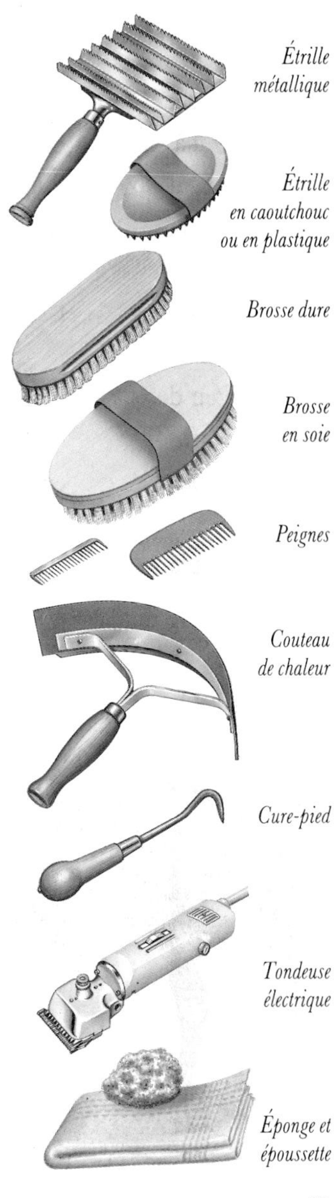

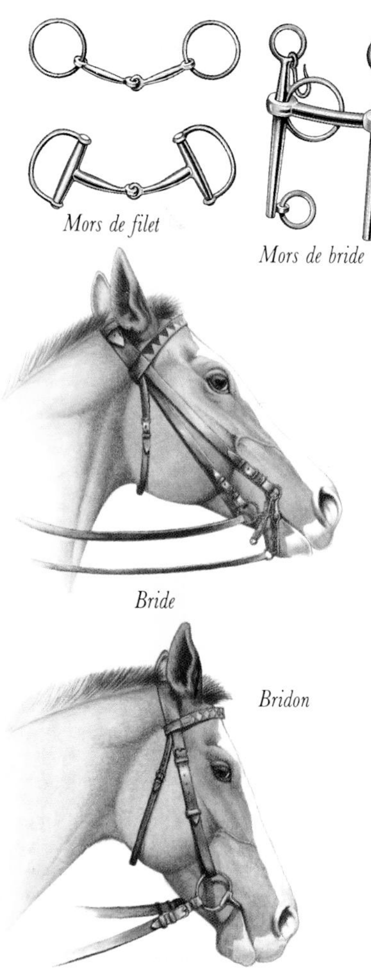

Mors de filet

Mors de bride

Bride

Bridon

Licol

Muserolle allemande

Le harnachement

Selon l'utilisation du cheval, l matériel change. La tenue la plu classique en Europe est la sell anglaise et le filet. Celui-ci est un har nachement très simple, monté ave un seul mors articulé au centre. L bride comporte deux rênes et deu mors : un mors droit et un mor brisé. Le mors est tenu dans la bou che à la hauteur des ''barres'', espac sans dents entre les incisives et le molaires. Le mors droit agit sur le barres ; il n'est efficace qu'utilis avec une ''gourmette'', chaînett passant sous la barbe du cheval. L mors du filet, mors brisé, agit sur l commissure des lèvres. La bride es utilisée en dressage pour plus de pré cision.

Les selles

Elles varient selon les sports prati qués et selon les pays, mais les selle de sport sont à peu près les même dans le monde entier. La sell d'obstacle est assez creuse au iiveau du siège. Des "taquets" de :uir fixent la jambe pour l'empêcher le glisser. La selle de course, minus-:ule, sert plutôt de porte-étriers, les ockeys n'étant presque jamais assis. Les selles texanes et mexicaines sont ourdes et imposantes, mais elles per-nettent les longs trajets et le trans-port de matériel.

En voyage

Lorsqu'un cheval voyage, il est pro-égé par un étui de queue, des guêtres :t un protège-nuque. Les chevaux de :ourse ou de cross portent aussi des bandes de protection, des genouillè-es et des "cloches", pour éviter de se toucher. Les couvertures les protè-gent du froid, de la pluie, mais ser-vent aussi à éponger la sueur après l'effort.

L'entretien

Les cuirs sont nettoyés avec un savon à la glycérine et assouplis avec un corps gras. Les aciers sont essuyés pour éviter la rouille, et les mors sont rincés et séchés.

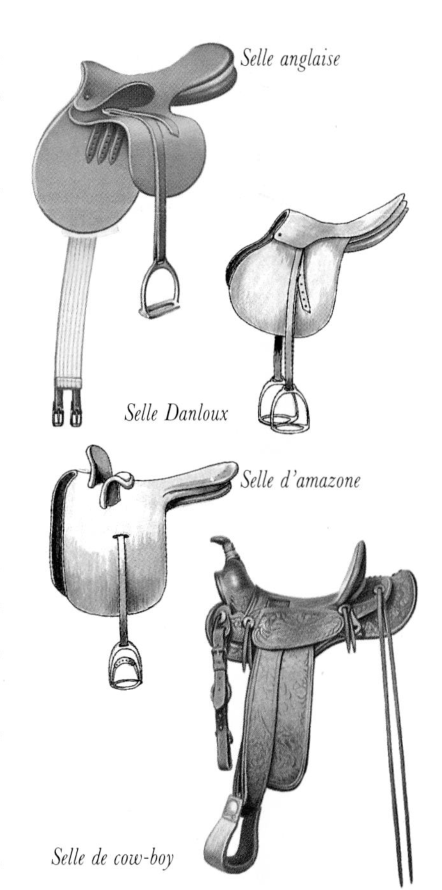

A l'entraînement et pendant les courses, les jambes du cheval sont protégées par des bandes de flanelles et des genouillères en cuir. Les sabots sont recouverts par des cloches en caoutchouc.

Comprendre son cheval

Aimer un cheval, c'est comprendre et connaître ses réactions instinctives, tenir compte de sa grande mémoire et de sa sensibilité, et savoir que la patience et la douceur sont les meilleurs moyens de s'en faire un ami.

Le cheval est un animal craintif. Il ne possède pas, comme les carnivores, de moyens de défense. Son salut est dans la fuite, s'il en a le temps, ou dans la ruade et les battements des antérieurs. Dans les hardes vivant en liberté, c'est à l'étalon que revient le rôle de surveillance. Sans cesse sur le qui-vive, c'est lui qui donne au troupeau le signal de fuite. Et, même chez un cheval qui a passé une grande partie de sa vie au contact de l'homme, certains bruits réveillent brusquement la peur et l'instinct de fuite.

Émotif, anxieux, nerveux, les chevaux ne se sentent en sécurité qu'au sein du troupeau. Entre eux, ils communiquent en se mordillant amicalement, en se frottant mutuellement. Cela les rassure. Ils craignent la solitude jusqu'à faire de la dépression. On a déjà vu des superchampions avoir pour compagnon de boxe un chien ou un mouton, dont la présence les calme. Il arrive aussi que des chevaux aient leurs antipathies. Certains d'entre eux ne se supportent

pas. Il faut alors les séparer, car l'un sera toujours le souffre-douleur de l'autre.

Les moyens d'expression

Le chevaux réservent l'usage de la voix aux situations exceptionnelles : les hennissements traduisent la peur, la douleur ou la joie, la mise en garde du poulain trop aventureux par sa mère ou le défi coléreux dans le combat entre deux mâles.

Ce sont les attitudes corporelles, les mimiques de la tête qui révèlent surtout leurs états d'âme. Ainsi, les oreilles pointées en avant signifient que le cheval est attentif, curieux. Lorsqu'elles sont rejetées en arrière, qu'il est inquiet ou en colère. La tête pendante est la marque de la tristesse ou de la maladie. La tête dressée, les naseaux dilatés, le bout du nez plissé, les mâchoires fléchies indiquent la nervosité ou la peur.

Parfois, le corps tout entier entre en action. Pour manifester sa joie, le cheval peut gambader ou se rouler dans l'herbe. Il porte la queue haute. Pour exprimer son mécontement, il tend en avant l'encolure et agite violemment la queue de droite à gauche ; attention à la ruade qui peut suivre !

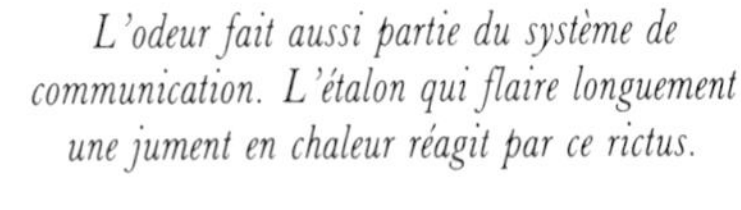
L'odeur fait aussi partie du système de communication. L'étalon qui flaire longuement une jument en chaleur réagit par ce rictus.

Furieux

Petit dictionnaire

Aciers : ils désignent les parties métalliques des harnachements.

Allure : le cheval se déplace à différentes allures : le pas, le trot, le galop. Ce sont des allures naturelles. Le cheval qui marche l'amble déplace en même temps l'antérieur et le postérieur du même côté.

Amazone : femmes guerrières légendaires de l'Antiquité, qui auraient vécu sur les bords de la mer Noire, combattant à l'arc et à cheval. Le terme désigne aujourd'hui une femme qui monte à cheval avec les deux jambes du même côté (monter en amazone).

Aplombs : c'est la position des membres du cheval par rapport au sol, à l'arrêt. Les membres doivent être bien parallèles. Toute déformation des aplombs déséquilibre un cheval, qui risque de tomber.

Aquitaine : région historique du sud-ouest de la France.

Arquebuse : arme à feu remplacée par le mousquet à la fin du XVIe siècle.

Assyrie : ancien royaume d'Asie, sur le Tigre. (XXIe siècle av. J.-C. à 612 av. J.-C.)

Attila : chef des Huns, qui déferlèrent sur l'Europe et franchirent le Danube en 405.

Barre : dans la bouche, espace sans dents dans lequel on place le mors.

Bougnat : marchand de charbon et de boissons, souvent d'origine auvergnate.

Brasseur : personne qui fabrique de la bière et qui la vend en gros.

Bride : c'est un "filet" ou un "bridon" lorsqu'elle est simple avec un seul mors ; une bride lorsqu'elle est montée avec deux mors et deux rênes.

Chanfrein : partie de la tête allant des oreilles aux naseaux.

Calife : chef suprême et religieux dans le monde musulman.

Carrousel : parade au cours de laquelle des cavaliers exécutent des mouvements d'ensemble.

Conquistador : au XVIe siècle, conquérant du Nouveau Monde : Cortés, au Mexique, mit fin à l'Empire aztèque, Pizarro, en Amérique du Sud, à l'Empire inca.

Débourrage : début du dressage du cheval, au cours duquel on l'habitue au licol, à marcher en longe et à supporter une selle, puis un cavalier.

Étalon : cheval mâle, non castré.

Harnais : ensemble des pièces qui servent à habiller le cheval : bride, muserolle, collier, mors, guides. Le harnais est utilisé seulement pour l'attelage.

Hittites : peuple qui arriva en Asie Mineure avant 2000 ans av. J.-C. Vers 1460 av. J.-C., les Hittites fondèrent en Syrie, un empire qui s'écroula à la fin du XIIIe siècle av. J.-C. Ils combattirent les Égyptiens de Ramsès II.

Hongre : cheval mâle castré.

Manade : troupeau de chevaux en Camargue.

Mors : pièce métallique passée dans la bouche du cheval et maintenue par la bride.

Mousquetaire : en France, au XVIe siècle, soldat d'infanterie armé d'un mousquet, l'ancêtre du fusil. En 1662, Louis XIII créa une compagnie de mousquetaires. Le roi était leur capitaine.

Mongols : peuple de l'Asie centrale. Au XIIIe siècle, Gengis khan fonda un immense Empire mongol.

Neandertal : l'homme de Neandertal vécut au paléolithique ; il fabriquait des outils variés, et semble avoir utilisé un langage. Il disparut il y a 35 000 ans, laissant la place à l'homme de Cro-Magnon.

Parthes : peuple ancien de l'Iran. Vers 250 av. J.-C., une dynastie parthe fonda un empire qui s'étendit de l'Euphrate à l'Indus et de la mer Caspienne au golfe Persique.

Reprise : mouvements exécutés par des cavaliers travaillant ensemble dans un manège, ou exécutés par un seul cavalier.

Sumériens : peuple de la Mésopotamie antique, établi entre le Tigre et l'Euphrate (fin du IVe millénaire et premiers siècles du IIIe millénaire).

Table des matières

Les derniers mustangs sauvages 6

Le cheval de guerre 10
Peuples cavaliers 12
Les invasions de l'Islam 14
Les chevaliers du Moyen Âge 16
La fin de la chevalerie 18
Les Samouraïs 20
Le cheval en Amérique 22
Cavaliers indiens 24
La fin de la cavalerie 26
La police à cheval 28

Le cheval de travail 31
À la campagne 32
À la ville 34
Travaux de force 36
Attelages de prestige 38
Les voyages 40
Gardiens de bétail 42

Pour le sport 44
L'élevage dans un haras 46
Les races 48
Le saut 50

Les concours hippiques 52
Le dressage 54
L'attelage de sport 56
Les courses de plat 58
Les courses d'obstacles 60
Le monde des courses 62

Jeux équestres **64**
Le polo 66
La chasse à courre 68
Le cheval de corrida 70
Au cirque et au cinéma 72

Anatomie 74
Carte d'identité 76
La robe 78
L'alimentation 80
Le pansage 82
Le harnachement 84
Comprendre son cheval 86
Petit dictionnaire 88

Illustrations :

Paul Bontemps : pages 6 à 43, 64-65, 86-87.
Neil Wilson : pages 44 à 63, 68 à 73 et 78-79.
Pierre de Hugo : pages 26 et 27.

Dans la même collection

Les baleines
Les félins
Le chien
Le dromadaire

La Grande-Bretagne
L'Australie
Les pôles
Le mont Blanc
Le Nil
Le Rhin
Venise